시인 신민건

사랑해 마지않던
모든 것들에 대한

시인 주하영

당신의 마음 속에 별빛이.
주하영

시인 양은혜

양은혜
그 계절에도 꽃이 피었나요?

시인 고요비

따뜻한 마음
가슴에 살포시
봄꽃을 피운다 고요비

시인 소우주

우리 그리했던 날을 추억하며,
소우주

날씨는　　무척이나 좋았습니다

날씨는   무척이나 좋았습니다

신민건

잊으려 애썼던 때가 있었습니다.
기억하려 애썼던 때도 있었습니다.
잊으려 애쓰던 것들은 눅진하게 남아있고
기억하려 애쓰던 것들은 흔적조차 없습니다.

괜스레 서글퍼지는 마음을
고운 액자에 담아두고
그 곁에 작은 시를 써놓을까 합니다.

instagram   @shinmingeon

email   tlsehdfo@naver.com

「 달이 보았고, 꽃이 알았다 」

시인의 말 15

다시 찾아온 봄에게 16   여행 17   밀월(蜜月) 18   여름의 문턱 19

출근길 20   소제동 21   장마 22   문밖의 가을 23

바람이 머물다 가는 건 24   달이 보았고, 꽃이 알았다 25

꽃잎 26   4월엔 봄꽃이 그렇게 예쁘던가요 27   편지를 쓴다 28

오월 29   별을 헤듯 너를 헤며 계절의 소식을 보낸다 30

아름다운 31   꽃잎처럼 붉던 당신을 만나 32   긴 밤에 33

오늘 밤은 34   어젯밤엔 비가 왔다고 말하려고요 35

꿈의 광대 36   달의 사공 37   밤나비 38   역사(驛舍)의 밤 39

이방인 40   실향(失鄕) 41   그리운 계절 42   황지 43

봄이 다 진 겨울날 꽃을 그리워해 본다 44   자화상 45   흰 봄 46

슬픔이 온다 47   가을을 두고 48   어느 치의 그리움 49

방천(防川) 50   구름은 흐르고 51   빈 52   해를 담은 마음 53

일몰의 앞에서 54   동이 트고 물든 바다로 배가 가면 55

주하영

개발을 하느니 마니
떠들던 날들은 계속되고

정작 말 못하는 자연은 가만히 있는다
때가 되면 꽃이 피고 지고

어느 날 누군가 한줄기 쉼을 찾을 뿐이다
잠시 머물다 가셔도 돼요

instagram   @happpy_hy

email   jhyoung1207@naver.com

「 살아가는 것들에게 」

시인의 말 57

꽃잎이 떨어진 사랑 58   사랑하는 나의 바다 59

연주자 옆자리 60   밤의 꿈 62   호랑이는 나타나지 않았네 63

서서히 물들어가는 시 64   겨울의 선글라스 65

서투른 여행객1 66   서투른 여행객2 68

고양이가 하고 싶었던 말 69   비가 온 밤 도로의 축축한 낙엽 70

느린 우체통 71   나의 계절 72   산도 이사를 가고 싶을까 73

와인 그리고 달 74   해방 75   기분 좋은 날 엔 76

그림 그리는 날 78   하늘만큼 별만큼 79   봄에 오는 첫눈 80

민들레도 하얀 꿈 타고 날아가는데 81   몬스테라 가족 이야기 82

비가 사실은 바다라면 84   강물은 오늘도 혼자였지만 85

건전지를 빼버린 시간에 86   일기장 87   구름 공작소 88

잠이 들지 않는 밤 89   똥강아지 90   하늘 색 91   긴 밤 92

어디 가는지 나도 몰라요 93   보고 싶어 94   살아가는 것들에게 95

해는 졌지만 사람들의 표정에 녹아버렸어 96

양은혜

"엄마는 제가 뭐가 되면 좋겠다고 생각했어요?"
"난 딸이 작가가 되었으면 했어."

늦은 질문이었다고 생각했다
일찍 들었다고 달라진 건 없을 테지만
평생 마음이 닳아 없어진 줄 알았던 엄마의 바람이
아직 진행되고 있다.

때론 무겁게 또 가볍게
나를 담아내고 우리를 쓰다 보니 시가 되었다.

나의 온 가족들에게 감사하며

instagram   @yeh_poem

email   preciousliz@naver.com

「 계절은 마음을 담는다 」

시인의 말 99

새해 100 싸라기눈 101 봄 102 외로움 103

웅덩이 104 나무 105 여름이 오면 106

장미 107 청포도 108 무제 109

밤 내음 110 가을날 111 아침 112

조락의 시간 113 달빛을 잡는다 114

그리운 시골집 115 백양사에서 116

가로등 117 우리가 살던 곳 118 비 120

마루 121 벗 122 어머니의 겨울 123

봄이 오면 124 바람 125 들꽃 126

여름 127 계절 찬양 128 바다 꽃 130

감 131 별 보러 가네 132 기다림 133

무지 134 그곳 135 편지 136 새와 나 137

그렇게 흘러가세요 138 사계절 139

고요비

자연을 걸으며 살아 숨 쉬는
좋은 느낌을 가슴에 끌어안는다

자연의 질서와 아름다움이
나를 통과해
희망의 씨앗으로
따뜻한 빛으로
모든 마음에 자라나기를

「 마음으로 보는 일상 」

시인의 말 141

때가 되면 142 빈틈 143 구름 새 144 파도 145
가을꽃 146 빗물 147 우리의 그림자 148 태양 149
멈춤 150 숨 쉬는 대화 151 나의 그림자 152
빛의 눈 153 내맡김 154 세상 속에서 155
마음으로 연결되어 156 나를 비우고 너를 채우고 157
나에게 158 듬직한 바위와 꽃 159 나는 너에게 160
일복 많은 비 161 운명 162 마음을 모른다 163
가슴 채우기 164 땅바닥 165 가을비 166
꽃 안에 별 167 그대로 168 마음도 몸처럼 169
내 안에 나 170 빗물에 번짐 171 거리두기 172
이 공간에서 173 노랑 장미 174 나무의 의지 175
안과 밖 176 보이지 않는 벽 177 하늘 178
그림자 179 花 180 마음 연습장 181

소우주

막연했던 설레임부터 그날까지
반복되는 일상을 향하여 한 발 내딛습니다

하늘과 땅의 시간 기운 잃고 절망한 나에게
고통과 시련의 길에서 발견한 것
감사한 일 하나
예기치 못한 기쁨
세상의 공허한 시끄러움에 빠져들 때마다
끝이 보이지 않는 깊은 우울의 우물에서
혼자라 생각하고 있는 나에게
이대로 버려지지 않을 거야
시리고 간절한 마음
신념을 넘어서는 믿음으로
살아가는 그대에게
소원의 끝자락에서
살아가는 이유가 아름다워진다면
용서하고 다시 사랑할 수 있나
오늘의 그대와 내가 한 발 내딛습니다.

instagram   mikrokosmos_start

email   sowoojoo89@gmail.com

「 삶에 로망이 있는 위로 」

시인의 말 183

사랑이 살아서 184   오늘 행복 185   무엇을 원하나요 186

보이나요 187   아픈 기억 188   외로움 189   사(似)계절 190

가장 좋은 나 191   엄지척 192   새날 193   오늘껏 194

시선 195   그런데도 196   내 삶의 이유 197

시간에 기대여서 198   꿈을 꾸는 동안 199   일생일문 200

나와의 대화1 201   나와의 대화2 202

갑자기 멈춰버린 하루 203   나를 비운다 204

향기 나는 점 205   happy now 206   보여줘 207

사는 생각 208   현존 209   기적의 선물 210

진액이 넘치는 삶 212   시심(詩心)의 시절 213

살고 싶어서 214   자유로움의 모든 세계 216

새벽 5시 반(Miracle morning) 217   소녀야 218

선물 같은 오늘 219   우리는 별을 본다 220

안녕 222   별이 빛나는 밤에 223

신민건 _____

달이 보았고, 꽃이 알았다

울음에 인색하던 밤
헤어진 계절을 톺아 보다
사랑했던 어느 시절에
포-옥 잠기고는 했습니다

아마 오늘 밤도 왕왕
울음이 차오를 것 같습니다

2021. 겨울 신민건

다시 찾아온 봄에게

꽃을 만났습니다
무심히 걷던 밤에
예쁜 꽃을 보았습니다

비를 만났습니다
몽롱하게 걷던 밤에
따스한 비를 맞았습니다

당신을 만났습니다
홀로이 걷던 밤에
긴 기다림을 지나
먼 그리움을 돌아
당신이 내게로 찾아왔습니다

갈라진 입술을 열어
새하얀 침묵을 뚫고
긴 기다림이었지만
먼 그리움이었지만
잊지 않고 돌아와 주어 고맙다고
밤에 만난 당신을 보며
미소를 지었습니다

여행

오랜 친구의 이별을 달래며
술로 물들었던 밤을 보내고
밀려오는 새벽잠을 꼭 꺼안고서
땅끝 작은 마을에 발 디디는 것

남쪽 바다로 한낮의 볕이 내리면
톡! 토독, 토도독! 살갑게 익어가는 누룩 내음을
배롱나무 그늘에 누운 채 맡으며
둘러 들리는 풀벌레 소리에 묻혀 낮잠 드는 것

해 질 녘 맛 좋은 정찬을 두고
마음 한편 고이 묵혀 두었던 일상을
뽀얗게 익은 막걸리에 섞어 나누고
고요히 새로운 인연을 담그는 것

별이 고즈넉이 펼쳐진 밤바다와
해수면 위로 내리는 달의 윤슬과
바다와 달 사이 아름다운 것들이
오늘이란 순간에 머물러 있는 것

밀월(蜜月)

새파란 바다 하얀 돌고래처럼
기와 위에 걸린 달
고요한 셋방 마알간 전등처럼
꽃나무 끝에 핀 달
무지개 펼친 색색의 공작처럼
구름 사이 숨은 달

하나인 줄 알면서도
매일같이 속고 마는 달

초롱을 따라 청라가 사는
나지막한 언덕에 오르면
밤하늘 먼 곳에 달이 또 뜨겠지
밤빛이 짙어져 초롱불 예쁘게 숨 쉬면
밝아진 눈빛으로 달을 또 보겠지

시나브로
달콤한 달에 물들어 가겠지

여름의 문턱

여름의 문턱
계절이 넘어가는 때

문턱에서 부는 바람
문턱에서 내리는 비

창을 열고 작은 손을 내밀어
바람과 비를 쓰다듬으면

그것은
여름을 시샘치 않는 봄의 마음
봄을 외면치 않는 여름의 마음

출근길

기다리며 서 있다
고갤 들어 본 곳에
하늘이 바다처럼 예쁘고
구름이 흰고래처럼 예쁘고
이파리가 이 여름처럼 예쁘다

오늘도
하릴없이 기다리고
이유 없이 찾아올
하루 모든 순간이
저 예쁜 모든 것들처럼 예뻐라

소제동

해바라기를 사랑한 한낮의 해처럼
한낮의 해를 사랑한 해바라기처럼

우리는 언제나 그런 사랑을 하자

오롯이 서로를 그리워하는 마음으로
진정 서로를 소중히 하는 마음으로

우리는 언제나 그런 사랑을 하자

세상 가장 따뜻한 눈길로 서로를 바라보며
서로에게 꼭 맞는 따스함으로 안아 주며

우리는 언제나 그런 사랑을 하자

한낮의 해가 사랑한 해바라기처럼
해바라기가 사랑한 한낮의 해처럼

장마

장마는 여름의 연인(戀人)
때늦게 찾아온 장마는
늦여름에겐 애달픈 사랑
이른 가을에겐 낯선 연정

문밖의 가을

마당이 너른 집 한편에서
조용히 피어 가는 장독을 보며 걷다
어느새 가을이 왔던지
바스락,
발아래 낙엽 하나가 밟혔다

문밖에 가을이 찾아왔다
뜻 모를 그리움을 바라도 될 만큼
고요한 바다에 있는 것처럼

바람이 머물다 가는 건

댓바람부터
왼쪽 창문을 여니
한 점 바람이 들어와
살랑살랑
휘-이 휘-이
이리저리 뛰놀며 머물다
열어 준 오른쪽 창문으로
금세 후다닥 뛰어나간다

바람이 머물다 가는 건
바람개비의 품이라 했던가
내 남은 온 삶을
바람개비처럼 살아도 좋으니
너만은 나를 무심코 떠나지 마라

해껏 마음 두고 종종 찾아와다오

달이 보았고, 꽃이 알았다

겨울 삭풍 부는 날
말린 여름꽃 사이로
새벽달을 본다는 건
누군가를 깊이 생각하고
그리워하고 미워하게 될
아픈 기다림인지도 모르지만

까슬한 추위가 쌓인
새하얀 눈밭 위에서
나는 어떤 이를 사랑하고
그이가 당신이라는 사실을
달이 보았고 꽃이 알았다

꽃잎

나의 손끝에 너의 향기가 있구나
너의 눈 속에 나의 우주가 있구나
아- 그렇구나
나는 너를 사랑하나 보구나

4월엔 봄꽃이 그렇게 예쁘던가요

4월엔 봄꽃이 그렇게 예쁘던가요
춘분이 지나 4월이 되어
흐드러지게 꽃이 피는 걸 보면
꽃도 4월엔 그렇게 예쁠 일인가 봅니다
개나리 모란 민들레 찔레 은방울 수선화
그리고 벚나무
꽃망울 틔운 계절이든
봄이 닿은 연인들이든
예쁜 건 매한가지일 테지만
나에게 예쁜 것이 무어냐 묻는다면
꽃나무 아래서 읽어 내리는 시집이 그렇듯
봄길 따라 걸음마 떼는 자전거가 그렇듯
봄이 닿지 않아도 꽃 핀 듯 싱그러운
당신이 그렇습니다
4월엔 봄꽃이 그렇게 예쁘던가요
서른하나의 봄엔 꽃만큼 예쁜
당신이 그렇습니다

편지를 쓴다

밤에 편지를 쓴다
네게 편지를 쓴다
소만이 찾아온 오월의 스무날 밤
이름마저 어여쁜 계절의 초입
그러나 여즉 늦봄은 여름을 시샘해서
새파란 밤 추위가 남은 사잇계절
편지를 쓴다
네게 편지를 쓴다
생경한 고뿔을 조심하라고
드는 고뿔만큼 아프게 오는 우울을 조심하라고
멀리 있는 너에게
오늘도 편지를 쓴다

오월

네모난 액자에
그림을 그리자

찬란한 오월에 찾아온
남국의 바다도 그리고
새하얀 바다로 내리는
따스한 햇볕도 그리고
햇볕을 담뿍이 머금는
초록의 나무도 그리자

찬란한 계절을 그리고
찾아온 오월들 중에서
소중한 당신도 그리자

어여쁜 한 폭에
방점을 찍듯이.

별을 헤듯 너를 헤며 계절의 소식을 보낸다

인구의 밤은
모로 누운 채 눈을 감아도
별을 헬 수 있는
맑고 투명한 것

너에 대한 헤윰 너머
동그랗던 달이 얇아질까
유월이 가기 전
감기는 해풍에
투명한 이 밤을 실어 보낸다

참 좋은 시절의 인연이라고
별을 헤듯 너를 헤며
계절의 소식을 보낸다

아름다운

아름다운 것이
무어인지 생각하다

해 지는 반대 방향으로
창에 물든 저녁놀을
시리게 아름답다고 말하는

너의 소박한 마음이
참으로 그런듯해서

그저,
그것이
아름다움인가 보다 한다

꽃잎처럼 붉던 당신을 만나

꽃잎처럼 붉던 당신을 만나
이토록 아름답게 사랑하고 있으니
누군가 나에게 불행을 물어도
연신 해맑은 미소로 답할 수밖에

등대처럼 선 사랑이
한 철 꽃처럼 핀 당신을
계절이 무색하게 비추는 것은
먼바다 너머
빛이 닿는 곳에
당신과 함께 할
시간의 터가 있기 때문이다

긴 밤에

긴 밤에
당신이 누우면
고운 이불 하나 덮어드리리

추운 밤에서 건져 낸
따스한 별자리 몇몇을 총총 수놓아
고운 이불 하나를 지어

그대 누운 밤 어느 곁에
고이 덮어드리리

오늘 밤은

당신의 밤을 어둠에게 잠시 맡겨두고
어둠을 끌어안은 밤을 도둑 걸음으로 지나
달셋방 한쪽, 작은 초를 켜두었습니다

꽃나무 아래
촛불을 따라
당신의 꿈이
달보드레하길 바라며

어젯밤엔 비가 왔다고 말하려고요

어젯밤엔 비가 왔다고 말하려고요
출근길 아침 거칠었던 땅이 젖어 있어서
당신이 또 홀로 외로움을 느낄까 봐
밤새 비가 왔다고 말하려고요
하루가 세차게 지난 오후엔
노을이 참 예쁘다고 말하려고요
세상이 무너질 듯 해가 저물어 가면
심술궂은 그리움이 찾아가
당신도 무너져 내릴까 봐
하루를 머금은 노을이
오늘은 참 예쁘다고 말하려고요
다시 찾아온 밤에는 울음을 참지 마요
흐르는 눈물을 자꾸만 들숨으로 참아내면
때 이른 열꽃을 밤새 앓을지도 모르니까요
그러니 오늘 밤은 그립고, 외롭고 슬픈 대로
주저앉아 엉엉 울어도 돼요
그렇게 잠이 들길 바라요
울다 지쳐 잠이 든 당신의 꿈으로
당신은 참 예쁜 사람이라고
당신은 참 아름다운 사람이라고
고운 편지 한 장을 보낼게요

꿈의 광대

누운 자리 머리맡에 별자리가 흘러들어
꿈길로 향하는 은하수가 열리면
색색으로 물든 소서의 밤을 지나
풀벌레 스륵 스륵 대는 달의 숲으로 가자
달로 빚은 술 한 모금에 걸음걸음 구름 밟은 듯
폭신히 꺼졌다 정처 없이 솟았다
달꽃으로 엮은 패랭이에
은하수에서 건져 낸 도포를 걸치니
밟고 날아가지 못할 곳이 없구나
달술에 얼큰히 취기가 오르면
은하수를 밑에 두고
별 하나 꼭지에서 강 건너 별 하나 꼭지까지
길게 외줄을 달아 줄어름을 하자
몸 깊숙이 찰랑대는 장단에 맞춰
꿈의 광대가 되어 둥실 두둥실 줄어름을 하자
줄어름에 지쳐 외줄에 누워 있다
은하수 물길을 따라 사공의 배가 뵈면
흘러들어온 꿈길을 되짚어
소서의 밤으로 돌아가자
밤의 장막이 걷히기 전 자리에 누워
고요히 꿈의 잔치에서 깨어나자

달의 사공

겨울 달이
조각난 바다에 떠 있다
달이 바다에 떠가는지
바다가 달을 두고 흐르는지
알 길은 없지만
때때로 달이 바다에 잠기면
세상은 고요로 차고
흰 손으로 바다를 저어 가는
달의 사공이 보인다

달이 질 무렵
해가 뜰 무렵
밤새 달의 사공이 한 일을
해도깨비는 모르고
달은 여전히 사공의 손을 빌려
또 하나의 밤으로 간다

밤나비

만월 그윽한 거리
청록 구름 가득한 하늘

화향(花香)에 취한
밤나비 한 마리

저- 높이 뜬 달 만나러 갈까
여- 서 있는 님 만나러 갈까

역사(驛舍)의 밤

생명의 흔적이라고는
고압 전류만이 이따금 번쩍이는
적막한 역사(驛舍)의 밤
빈 플랫폼은 왠지 쓸쓸하고 외로워 보인다

마지막 손님마저 태워 간 열차는 보이지 않고
소리조차 낼 수 없는 슬픔이 엄습한다

투명한 소음만이 가득한 빈 어둠 속
불타지 않은 성냥이 바닷물에 젖어 있다

이방인

북쪽 어느 곳에선가 장마가 들어
머물러 있던 마음에 폭풍우가 몰아치면
깊고, 짧게 그러나 자꾸 되돌아오는
이국의 계절처럼
우리는 이방인이 되고자 했습니다

국경을 넘어 생경한 바람이 불어오는 이국의 땅
새파란 새벽이 내려앉은 플랫폼에서
당신은 포-옥 포-옥 잦은 숨을 내쉬며
안긴 품으로 열병을 전했습니다
열병이 오롯이 서로의 것이 되고
움직이는 등대처럼 열차가 들어오면
'16'의 플랫폼에서
우리는 몽롱하게 밤배에 올랐습니다

흰 밤, 푸른 숲
바람처럼 불어오는 순록의 울음에 맞춰
그 겨울밤 별의 노래를 불렀습니다

길고 머-언 노스탤지어를 두고
슬픈 이방인이 되어

실향(失鄕)

발길 없는 길에
소리 없이 맑은 밤이 흐르면
그 밤을 호리병에 담아
별을 띄우고 고운 술로 빚는다지
호리병에 담긴 술이 곱게 익어
떠돈 시간의 냄새가 오르면
술 한 모금 단숨에 들이켜고
투명한 밤에서 소라고둥 하나를 건져낸다지
얼룩덜룩한 그것을 큰 나팔처럼 불어댄다지

홀로 부는 대취타 가락이
매서운 봄날의 바람을 타고
동행 없는 쓸쓸한 길에 울려 퍼지면
다붓다붓 모여 있던 나뭇잎 살결 새로
고향 땅 먼바다의 파도 소리가 들려온다지
고향의 울음이 밀려오면
떠돌이는 춤을 춘다지
남은 힘을 모두 실어
진군의 나팔을 불며

슬픈 춤을 춘다지

그리운 계절

눈도 오지 않던 소설(小雪)의 밤에
길목을 지나는 흰 발소리가 들리면
당신이 오신다는 생각에 괜스레 설레곤 했습니다
추위에 움츠린 채 서 있던 어린 몸을
당신이 따스한 등으로 업고 걸으면
겨울 냄새가 밴 외투에서 전해지는
당신의 맥박을 느끼곤 했습니다
어둠이 내려앉은 셋방에 다다라
게슴츠레 뜬 눈으로 당신을 바라보면
어두운 방 안에서도 촉촉이 젖어 있던
어쩌면 깊은 바다였던 지도 모를
당신의 눈동자 속에, 머-언 계절의 눈이 내려
새하얗게 방 안을 덮었습니다

그리운 계절입니다

당신의 모든 것들이 그리운 계절입니다
지금은 이곳에 없는 순간들을 잊지 않으려
당신의 빈자리를 두고 무덤덤해지지 않으려
오늘도 목소리가 닿지 않는 당신에게
참 그리운 계절이라고 편지를 씁니다

황지

갈라진 콘크리트 벽 사이로
살을 에는 겨울 웃풍이 드는 태백의 밤
어린 손자국 남은 작은 쪽창 유리 너머
밤 서리가 아련히 내려앉아 있다
혹여나 고뿔에 들까 칠삭둥이 꼭 껴안던
홀어미 마음인 듯
한 땀 한 땀 짙게 창에 새겨져 있다

새벽 어스름 녘 탄광촌
밤새 불 밝던 가로등이 꺼지고
자그마한 쪽방엔
멈춘 몸짓 하나하나 사랑인 듯
창 한군자리 정성스레 눈꽃이 피어 있다

봄이 다 진 겨울날 꽃을 그리워해 본다

열어둔 창틈으로 눈이 내려
창 모서리에 허락 없이 소복이 쌓인다

버려둔 마음의 공터로
울음의 단편들이 쏟아져 내리고
온몸이 부서질 듯 짓누르는 슬픔의 무게에
홀로 남은 그림자마저 잘게 조각난다

밤이 긴 겨울을 오래도록 보내는 일은
그럴 일인가 보다
날리는 눈송이보다 가벼웠다가
쌓이는 눈밭보다 무거워지는
애달프고도 모호한 감상에 젖을
그럴 일인가 보다

창백하고 빈약해진 마음이 부끄러워져
봄이 다 진 겨울날 꽃을 그리워해 본다

자화상

회반죽 색이 나는 안개 뒤
어슴푸레 보이는 가로등 불은
언제 어느 땐가 밝은 빛이었을까
뿌연 안개가 자욱이 끼기 전
온새미로 까만 밤에 켜진
맑은 빛이었을까

잠들지 못한 눈동자에
흐린 불빛의 잔상을 담고
선술집 즐비한 골목에 다다른 밤
벚꽃잎 담긴 술 두 병에
발그레한 낯이 된 나
가로등 아래 멈춰버린 걸음
붉게 물든 슬픔이 갇힌 밤
부끄러운 젊음의 민낯이 여기에 있다

잔인한 밤의 뒤편에 가려진 나는
언제 어느 때인가 맑은 사람이었을까
도시의 어두운 거리로
거리 뒤편 좁은 골목으로 숨어들기 전
나는 말갛고 흰 영혼이었을까

흰 봄

헤어진 밤길
셋방에 닿으면
우수를 따라
창으로 들이치는 아침

젖은 곰팡내를
양 볼 힘껏 들이켜고
한 길 숨으로 뱉어내면
방 안 가득 짙게 배는 계절의 추위

눈이 시리게
헛헛하게
찾아온 이 계절은
죄수의 흰 봄

슬픔이 온다

댓잎에 맴도는 바람이
그리도 슬플 일이었을까

벌어진 시간의 틈으로
버려진 장맛비처럼
내게도 슬픔이 온다

가을을 두고

허름한 여관방에
달셋방을 잡아두고
하루걸러 하루 시를 쓴다
비루한 감상에 젖어서야
몇 줄 시를 적을 수 있는 건
너절한 신세에 찌든 탓일까

가을을 창밖에 두고
이런 시름에 빠지는 건
가을이 방 안의 나를 두고
서운한 인사를 건넬 일이다

날씨가 차다
잔기침이 든다
보낼 수밖에 없는
가을의 소매를 애써 잡은 채
겨울 외투를 꺼내야 할까 생각하다
그저 입고 있던 얇은 셔츠를 여민다

어느 치의 그리움

마을 다리 밑 개울가에
돌무지 하나 덩그러니 버려져 있어
어느 치의 무덤이겠거니 생각하다
몰려온 허증을 이기지 못해 허물어 보니
털 한 올도 생명이라 할 만한 것은 없었다

멍-하니 서 있다
황망히 찾아온 슬픔에
눈물 한소끔 쏟고서야
마을 어느 곳에 산다던
어둑시니 하나가 떠올랐다

마른장마를 피해
세차게 안방으로 돌아와
무딘 연필 한 자루를 날카롭게 깎아내었다
파삭!
뾰족한 첫 글자가 바스러지고
어둑시니가 훔쳐 묻은
어느 치의 그리움을
오롯이 이곳에 담는다

방천(防川)

홍어와 빈대떡 내음이 나는 시장길에서
사람의 말로 진리를 찾고자 하던 밤
나는 불현듯 그랬다
사람의 말을 담아 시를 쓰겠노라고
시를 쓰려다 되려 묵은 비밀만 터놓고 오던 밤
나는 불현듯 그랬다
막걸리 한 병 마신 기분으로만 살겠노라고
비틀거리며 돌아와
알 수 없는 눈물이 토록 토록 떨어지던 밤
나는 불현듯 그랬다
돌이킬 수 없는 그때로 돌아가고 싶다고
돌이켜도 어쩔 수 없는 것들을 붙잡은 밤
나는 불현듯 그랬다
울도 담도 없는 곳에
네 것도 내 것도 없는 곳에
그런 곳에, 나무를 심겠노라고

밤은 어둡고 별은 밝은 날
속절없이 밀려오는 그리움을 두고

나는 불현듯 그랬다

구름은 흐르고

머리맡으로
구름이 흐른다

구름은 흐르며
하늘을 지난다

구름이 지나간 자리
바다를 닮은 하늘에
여린 마음의 잔해가
총총거리며 떠 있다

때로 울적하고
때로 사랑스러운
네 여린 마음의 잔해가
빈자리에 머물러 있다

빈

빈 오후였습니다
설화와 명곡의 꽃을 보러 갈까 하다
성당의 못 둘레길을 걸어 볼까 하다
빈 오후를 그저 걷기로 했습니다
거리에 가로선 버즘나무 은행나무들
시내길을 따라 흐르는 어여쁜 연인들
사이 빈 곳으로 텅 빈 시선을 띄우며
빈 오후를 걸었습니다
빈 오후를 걸으며
헛된 시선을 비우고, 쓰린 생각을 비우고
깊은 우울마저 비우고 나니
채우려 애써도 차지 않던 마음이
뜻 없이 온 반가운 손님처럼 차올랐습니다

하루의 해가 져 가는 때
채워진 마음이 충만하여
빈 걸음을 걸어 집으로 돌아왔습니다

빈 오후였습니다
오롯이 비우고 나자 가득히 채워지는
그저 빈 오후였습니다

해를 담은 마음

길의 끝에
해가 있다

저 해는
뜨는 해일까
지는 해일까

뜨는 해든
지는 해든
길의 끝에 다다라서도
해를 잡을 수는 없어서
두 눈을 깜빡여
마음 깊은 곳에
해를 담는다

밤이 오고
밤을 걷는다

마음에 담은 해가
찬 밤을 위로한다

일몰의 앞에서

어쩔 수 없이 또
헤어져야 할 하루이기에
걸어온 걸음에 부끄러움을 싣지 않았노라

어쩔 수 없이 또
헤어져야 할 하루이기에
건넨 말에 비난을 섞지 않았노라

어쩔 수 없이 또
헤어져야 할 하루이기에
마주한 모든 역경에도 굴하지 않고 버텼노라

붉은 노을 질 녘
너와 나의 헤어짐은
돌아오지 않는 작별이다

되돌릴 수 없는 일몰을 앞에 두고
오늘이란 이름의 네가 머물렀노라고
너를 부둥켜안고서 살아냈노라고
맞이할 내일이 기억할 수 있도록
나, 여기 적어두리라

동이 트고 물든 바다로 배가 가면

동이 트고 물든 바다로 배가 간다

동녘의 해는 부끄러운 줄도 모르고
깨어난 낯빛을 이리도 비추어 오는데
나는 무엇이 부끄러워 이리도 멈추어 섰는가
온통 붉어진 바다는 두려움도 없이
벌거벗은 표피를 저리도 흠뻑 물들이는데
나는 무엇이 두려워 이리도 주저하며 섰는가
정처 없이 지나는 배의 뱃머리에도
진실로 배를 모는 선장의 마음이 실렸을 텐데
나는 무엇이 거짓되어 이리도 서럽게 울며 섰는가

동이 트고 물든 바다로 배가 가면
부끄러워 멈추었던 순간들과
두려움에 주저했던 순간들과
진실하지 못했던 마음들을 동여매어
저 머-언 바다 끝선 어딘가 던져버리고
다시 길을 떠나야겠다

진실로 진실로
나를 향한 길을 떠나야겠다

주하영 _____

살아가는 것들에게

그냥 길을 걷다가
풀 냄새가 좋아서 발걸음 멈추던 날에

2021년 11월
주하영

꽃잎이 떨어진 사랑

겨울 가시는 매서운 추위를 견뎌내고
기꺼이 온 세상을 옅게 물들어 버렸다
살며시 웃음꽃 흘리듯 바람결에 살랑인다

꽃이 지는 것을 바라는 게 아니다
어느 날 거센 비가 머물다 간다고 하여도
설령 내가 이 비를 대신 반겨준다면

아침을 열고 홀로 떨어진 잎을 보거든
슬퍼 울지 말아 주세요

우리는 다음 해 개화를 약속하며
낡은 일기장에 조심스레 적어본다
또다시 꽃피우길 기다리며

사랑하는 나의 바다

바다야, 바다야
페달 깊이 눌러 울려 퍼진 파도 소리에
내 소리 같이 태워 보낸 고마운 바다야

바다야, 바다야
끝없는 모래 자갈 걸음걸이 움켜잡아
파도 위 놀러 와 앉아있는 햇살들과
잠시 머물게 해준 싱그러운 바다야

사람들 나를 보고 지나치는데
사랑하는 나의 바다,
모든 건 그저 전경이 되었는가

내 보물 내 마음 뜨거운 바닷속 아래에
아무도 찾지 못하게 간직해 주겠니

잊어갈 순간에
이 여름 찾아올 수 있게

연주자 옆자리

길가에 울려 퍼진 첼로 소리에
떨어지는 단풍잎도 느린 박자에 맞춰
가을이 막을 내려간다는 것을 알린다

그의 옆에는 한 마리의 개가 있다
한 폭의 가을 동화처럼 자리를 지킬 뿐이다
한 곡이 끝난 뒤
다음 페이지가 시작하기 전까지
아무 말 없이 가장 가까운 관객석에 앉는다

마음에 초대장을 보낸 듯
거리는 한순간에 오페라하우스가 되었고
수많은 관객 중 무대 위를 난입하는 자에
잠시 보디가드가 되어 자리를 지킬 뿐이다

두꺼운 외투와 녹색 모자를 걸친
그중 가장 하얀 손은
시간이 흐를수록 붉게 되었다
그들은 모른다 거리를 감싸 안은 소리와
소리를 내는 사람만이
스포트라이트를 받을 뿐

다음 페이지가 끝나고 결말을 노래할 때
마법이라도 부린 듯
어느새 단풍잎이 쌓여있다

의자가 없던 자리에는 순식간에 꿈에서 깨어나
그들은 그 거리를 묵묵히 걸었다

밤의 꿈

밤에 걷는 대화는 아침과 맛이 다르다

종소리조차 특별한 순간에만 허용되는 밤에
온통 밤빛까지 우리 소리로 물들게 하는 맛

가로등을 수놓아 밤을 알리며
마치 깜깜한 무대 오른 듯 리듬 타며
호탕하게 웃어줘야 하는 맛

그래,
모두가 자야 한다고 주의해야 하는 밤이다

호랑이는 나타나지 않았네

텐트에서 이루는 밤은
수많은 별을 세는 환상

한 번도 못 이룬 밤
환상의 나라에 갖춰 떠날 준비를 하네

산언덕에 자리 잡고 이리저리 살피며
별들을 세다가 산 아래 내려 보다
다시 이리저리 살피고는

텐트에서 이루는 밤
할머니가 해준 이야기
밤중 산에 가면 호랑이 나온다

어딘가 흘러나오는 어흥 소리
새벽 똑딱똑딱 흘러
별 이나 보자

텐트에서 아니 텐트 밖에서 이룬 밤
수많은 별이 환상이었던 밤

서서히 물들어가는 시

분홍빛 얼굴을 하고
만두같이 작은 목소리로 전한다
어린 작약은
지니고 있던 잎들이 상당히 촉촉했던 것이다
우선 오늘도
잠을 지새우며 밤을 보내기로 한다
양옆에 있던 푸른 잎사귀들은
꼬옥 숨어있던 작약이
편안한 밤이 되도록 더 숨겨주었다
덕분에 꿈나라 여행을 할 수 있던 작약은
붉게 피어오른 너의 마음이
하나뿐이라고 말해줬다고 한다
그 마음 밑으로 차곡차곡 올려놓고
한 잎 두 잎 세 잎 고이고이
서서히 펼쳐보기로 한다

수줍게 핀 꽃처럼

겨울의 선글라스

뜨거운 겨울
고요한 겨울
물들어 있던 단풍잎이
하나둘 또로롱 떨어질 때
나무에 꽃무늬 옷을
입혀주기 시작할 때
웃음의 온기로 온도를 높여
하늘 높이 마중 나온 대나무들 안녕
뜨거운 겨울
고요한 겨울
나무야 나무야
겨울잠 자러 가도
언제나 지켜주는 나무들아
또랑 또르르 옥구슬 흘러가듯
피아노 선율 맞춰 노래하는 물도 안녕
뜨거운 겨울
고요한 겨울
청둥오리들 하나둘 동시에
포르르륵 날갯짓하는 퍼포먼스에
하늘에는 새 세 마리가
빙그르르 원을 그려 빠져드는 그 겨울

서투른 여행객1

어둠은 빛을 바라본다
빤히 들여다보다 너무 눈이 부실 때는
잠시 돌아 더 깊숙한 어둠을 보곤 한다

어둠은 다시 빛을 바라본다
눈이 아파질 때면 선글라스를 껴보기도 한다
울긋불긋한 색깔로 둔갑한 세상을 바라보다
결국엔 깜깜히 차단해버린다

어둠은 빛을 향해 달려간다
좌우가 보이지 않는 이 날
앞만 보고 간다는 것이 가혹하기만 한 날

따사롭지 못해
따갑기까지 한순간
잠이 들지 않는 날이면
어둠은 문을 닫아버리기로 결심한다

새벽이 들면
무거운 밤공기를 마시며
복잡한 생각만이 뒤엉킨다

이곳에도 새소리가 들린다
나는 어디에 있는 걸까

서투른 여행객2

빛은 어둠을 바라본다
화사한 옷을 입고 있는 그는
우습게도 이곳이 어디인지 두리번거린다

바라만 보고 걷다가
깊은 심해까지 걸어 들어가면
빛은 어디로 가고 있는지 까마득하다

잔잔히 전등이라도 켜고
이 암흑한 머릿속을
가득 채워 넣고 싶다

아침이 오면 뜨거운 해를 맞으며
분주한 것에 생각이 잠긴다

지도의 끝에서 한참을 서성인다
나는 어디에 있는 걸까

고양이가 하고 싶었던 말

고양이 주인은
옆집에 사는 개를
산책시키는 모습이 부러웠다

그 개는 목줄을 하고 있어도
해맑은 표정으로 웃음 짓고 있었다

고양이 주인은
어느 날 여차 길을 잃을까 두려워
고양이 목줄을 두른 채 산책을 나섰다

인파가 많은 날이었다
어찌 된 일인지 고양이는 사라졌다

나무에는 고양이를 찾는다는
전단지만 붙어있을 뿐이다

비가 온 밤 도로의 축축한 낙엽

비가 온 밤 도로의 축축한 낙엽은
주황빛 가로등이 무대조명이 되어
마치 무대를 마친 연기자 같다

비가 온 밤 도로의 축축한 낙엽은
오래된 책상 위 촛불 하나 켜둔 채
마치 편지 한 장 보내야 할 것 같다

비가 온 밤 도로의 축축한 낙엽은
둘이 말 맞추며 걸어도 좋지만
혼자 걸어도 이상하지 않은 밤 같다

비가 온 밤 도로의 축축한 낙엽
내일이 되면 말라 있을지 모르겠지만

느린 우체통

저는 우두커니 서 있는 우체통이에요

거리에서 저를 보면
오랜만이라고 인사를 하고
그냥 지나치기도 해요

누군가 말을 걸면
입을 크게 벌려 웃음 지어요

저는 신중한 편이에요
뭐라고 답을 할까 한참을 생각하고
그러다 모르고 잊어버리기도 해요
그런데 고의가 아닌 것은 알아주세요

오랜 시간이 흘러 페인트가
지워지면 다시 빨간 페인트로
누구보다 잘 보이게 서 있고 싶어요

모두 한 손에는 핸드폰이 있네요
제가 느린 편지를 쓴다면
답장을 받을 수 있을까요

나의 계절

누가 반팔을 입는다고
긴팔을 입은 너는
주위를 둘러볼 필요 없다

당신의 여름은 언제인가
아니면 봄에 머무는가
아니면 겨울이 그리운가

너의 계절은
봄이어도 좋다
겨울이고 싶은 여름이어도 좋다

산도 이사를 가고 싶을까

수백 년 된 산은 수십 년 전에도
그 자리에 가만히 머문다

새로 만들어진 산책로에
등산객들이 올라갔다 내려갔다만 여러 번
버리고 간 쓰레기들로 마음에 비수가 된다

그래도 산은 그 자리에 있을 수밖에 없다
돌덩이처럼 가만히 있다 땅속 깊은 곳에
버려진 쓰레기들로 상처가 될지도 모른 채

비가 와도 비를 맞고
돌들이 가끔 굴러떨어져도
아무 곳이나 머물게 해주는 미련함

하지만 어느 날은 등산객이 오를 수 없다
오르다 미끄러질지 모르니

산도 운다

와인 그리고 달

선물 받은 와인 한 병 꺼냈네
기분 좀 내볼까 하지만
와인 잔은 없었네

또르르 똑,
귀여운 곰돌이 그려진 컵에
딱 한 잔

으음
처음 맛보는 와인
그리고 매일 보는 달

오늘은 커튼을 묶고
한동안 달을 바라보았네

해방

불을 붙일 때까지 생각에 빠진다
큰불이 되진 않을까
타지 말아야 할 것까지 태워버릴까

불을 붙이자
바람 따라 아지랑이처럼 피어오르는 연기
향이 아주 깊어 어떤 형태로 흘러가는지
바라보진 않았다

짧은 시간 동안 재는 모두 떨어졌다

진한 향만 온통 채워질 뿐이다

기분 좋은 날 엔

맛있는 꽃들이 향기로운 냄새를 풍기지
예술 같은 하늘이 날 바라보며
나 좀 찍어보세요 하는데
그냥 지나칠 수가 있나
오늘따라 길들을 그냥 지나칠 수는 없어
길들에게 말을 걸어봐
조각품처럼 생각하는 나무는 뭐가 그리
고민이 많은지 옷도 자세도 단단해
그 밑에 꼬마 같은 계란 꽃들이
하나둘 옹기종기 모여 있네
그들의 향기가 바람 타고 올라가
생각 많은 나무 머리에 앉았네
여행하다 잠시 쉬는 꽃들이
그들의 숨결을 나무에 불어 넣어 주네
꽃들은 또 떠나고 일 년 후에
오겠다는 약속을 하고 떠나고
담장 아래에서 탐정처럼 지켜보는
고양이가 오늘도 어제도 내일도
그 자리에서 지켜보네
오늘은 나도 고양이를 지켜보네
고양이를 따라가 나비를 따라가

한참을 따라가 길을 건네
고양이는 신사였네 넝쿨 사이에서
회색빛 눈망울을 가진 다른 고양이가
야옹
사랑받고 나는 다시 사랑을 주러 떠나네
어디로 갈까 순한 양 한 마리 같은 구름을 보고
그새 어느새 집 앞으로 와버렸네
상자 같은 집안에서 창문을 바라보며
얄짤없는 선생 같은 시계는 조용히 흐르기만 하고
오늘도 좋은 하루였다
상자의 문을 닫고 하루를 마무리하네
선물 같은 내일을 기대하며

그림 그리는 날

오늘은 무슨 그림을 그려볼까
빨간색 그림이 펼쳐지지
뜨거운 태양 아래 모래찜질하는
노부부의 뒷모습과 잘 어울릴 거야

오늘은 무슨 그림을 그려볼까
푸른색 그림이 펼쳐지지
왕왕 복슬강아지 앵앵 고양이 어흥 공룡
댄스음악 나오는 자동차
창문을 내리면 환하게 웃음 지을걸

오늘은 무슨 그림을 그려볼까
분홍색 그림이 펼쳐지지
높은 건물들 사이사이 간질간질
연인들의 걸음걸이와 잘 어울릴 거야

오늘은 무슨 그림을 그려볼까
붉은색과 푸른색을 섞어볼까
음 하늘 향기 뿜내는
우리만의 이야기를 그리는 날

하늘만큼 별만큼

아주 커다란 하얀 곰이
내 손을 꼭 잡고 다녔던 때가 있었지
세상엔 물리와 이치가 있다는 것은 몰랐지만

저 반짝이는 별빛은 보석처럼 예뻐 보였던 거지
아주 멀리 몸이 고꾸라지게 바라봐야 했으니까

밤하늘의 별을 세고 하나둘 반짝
커다란 곰은 나에게 이다음에 내가 크면
사다리에 올라가서 별을 따주겠다고 그랬어

매일 밤 별님이 내게 내려오는 날만 기다렸지
스무고개가 흐르고
수많은 별이 이미 내 곁을 반짝였어

곰은 어쩌면
내가 어른이 돼서 잠시 떠나가도
내가 꿈나라 여행을 시작했을 때도

언제나 별을 따러 가곤 했어
다정한 별 사랑 별 지켜주는 별들 말이야

봄에 오는 첫눈

며칠 전에 꽃집을 갔는데

"작약이 있을까요?"

라고 물어보니

봄에만 피는 식물이라고 했다

첫눈에 반해서
어디에 사는지
어디서 왔는지

물어볼 겨를도 없었구나!

민들레도 하얀 꿈 타고 날아가는데

오돌톨한 돌길을 걷다가
발걸음을 멈춰보니 작은 민들레
돌 사이에 삐져나와 자라 있는 민들레

개미 떼가 집을 짓고 있어도
나비가 사랑 찾아 떠날 때도
홀로 쓸쓸히 자리를 지키고 있네

노란 민들레는 어느새 하얀 꿈을 타고
이리저리 꿈을 나눠주고 다니네

아이코, 또 어느 누구는
혼자 있기 두려워
누군가 심어주기만을 기다리네

민들레도 하얀 꿈 타고 날아가는데

몬스테라 가족 이야기

창문에 해가 비추나 달이 반기거나
씨앗을 품을 준비가 된 잔잔한 흙덩이들
어느새 꿈틀거리며 태어난 새싹 하나

어린 아기 잎은 돌돌 얼굴을 가린 채
마치 애벌레처럼 살랑거리며 움직인다

신문 기사 한쪽에는
물을 너무 많이 주지 마시오,
가끔은 햇빛을 보시오
라는 주의 사항과 함께
한 사건 발생을 알린다

서서히 얼굴을 내밀고 기지개를 피우며
새싹 줄기는 어느새 훌쩍 자라
이리저리 상상의 나래를 펼쳐본다

힘차게 뛰어놀다 지쳐 보이는 때면
거칠 거리게 안색이 노래 보이는 때면
물 한 방울 손수건에 적셔 고이고이 보듬어준다

몬스테라는
갈기갈기 자유로이 자리를 지키며
또는 어디론가 여행하고 다시 돌아오고

비가 사실은 바다라면

타닥타닥타닥
비 내리는 소리에 열려있던 창문을 닫는다

따뜻한 난로 피고 있던 집안에서
클래식 음악 소리 볼륨을 높였다
여전히 안개처럼 남아있는 빗소리

그때 차를 빼달라는 전화 소리에
예고에도 없던 일로 분주해진다

꽉 끼는 장화를 간신히 신고
어깨를 주춤하며 나선다
얼굴 위 빗방울을 탁탁 털고 있었지만

저 어린아이들은
도로 위 움푹 파인 좁은 웅덩이에
너도나도 들어가겠다고 웃고 있구나
비가 바다가 되는 것은 한순간이구나

그런데 나도 바다에서 수영을 해보았었다

강물은 오늘도 혼자였지만

이 구역 영역 표시 그어 놓고
강은 잔잔히 흘러가리라 물살 쏘며 유유히
건너지 못해 우왕좌왕하는 사람들을
어린 눈빛으로 애처롭게 바라보는
바위는 당장이라도 다리라도 내주고 싶었네
너와 내가 함께한다면
이곳의 다리가 되어주는 건 한순간일 텐데
이 다정한 목소리로 내 소원 들어주지 않겠니

말이 없는 강물은 오늘도 혼자네
어쩌면 일어날지도 몰랐던 폭풍우가 내리치고
잔잔하고 싶다던 소원은 온 데 간 데
함께한 세월 생각하여 떠나가는 물살
지나치지 못해 꼭 잡고 말았네
고마워 그 한마디면 난 용서했지만
이제야 힘을 합쳐 돌다리를 만들었다는
행복하고 싶은 이야기는
강물 건너고 싶은 인간들에게도 퍼졌네

건전지를 빼버린 시간에

너의 꿈은 무엇이니
그 말을 아이에게 건넨 한 어른의
마음은 쓸쓸하다는 것을 알았다

그리고 돌아온 것은
울고 있는 눈과 웃고 있는 입은
조화를 이루지 못해
고장 난 시계처럼 초점이 흐린다

잠시 시간을 보지 않는다고
시계가 죽지는 않는다
언젠가 건전지를 넣으면
똑딱똑딱 다시 가야 할 텐데

그러니 잠시 술주정뱅이가 돼도 좋다
시계가 없는 동안은
아침이 언제인지 밤이 언제인지 모르게

신경 쓰지 말아라
너는 그냥 꿈에 취해
너의 꿈은 무엇이니

일기장

어지럽다
하루를 지나면 나을 줄
알았는데 더한 것 같아
왜 그런지 규명을 찾아야 하는데
찾지 못하여 갑갑하다

외로워서 몰래 글을 훔쳤다
매일 서랍 안에 고이
숨 쉬고 있던 그 일기장은
그날 저 글은
책상 위에 훤히 놓여있었다

먼 산을 바라보는 그의 뒷모습은
자연과 한 몸이 된 듯
중후한 쓸쓸함이었다
누군가 오길 기다리는 듯이
어디가 아프냐는 듯이

마치 아무 일 없던 것처럼

구름 공작소

가슴에 액자를 못 박지 못하여
어느 안타까운 이들에게 초대장을 보낸다

깊고 깊은 곳에서 헤엄쳐 올라온
당신의 마음을 고이 접어서

책상에 대기하던 천과 바늘은
말에 맞춰 한 땀 한 땀 새겨나가고
마음의 응어리에 콕콕 여러 실을 묶고

한숨 두숨 세숨 돌리고 나면
눈물과 마음 응어리가 모인 구름이 된다

꺼내지 못한 사연에 다시 오기도 하며
손님 명단에는 있지만
아직 찾지 못하여 헤매는 사람도 있다

여전히 기다려 천천히 오기를 기다리며
어두컴컴한 밤에도 당신의 구름은 은은히 비춰주니

잠이 들지 않는 밤

침대는 이사를 갔다

나무들이 원으로 둘러싸인 숲속
가운데 한자리 내 준다는 소식 듣고
위를 올려다보면 별빛이 쏟아지는 곳

아무러하여도 피톤치드 향에 맑은 공기
고요한 바람 소리에 걸쳐 들리는 새소리는
마음마저 파고와 웃으며 잠들 상상으로

침대는 햇빛 한 줌 들어오는 낮에
이사를 모두 끝낸 뒤 밤이 되자
새 이불 들썩이며 잘 준비를 했다

이 숲에는 고요한 새는 온데간데없고
어떠한 소리가 들렸던 것이다

침대는 며칠 뒤 다시 이사를 갔다
커튼 옷장 낡은 책장이 보고 싶어서

똥강아지

할매
걱정하지 마셔요

이 똥강아지도 승 낼 수 있어유

할매
걱정하지 마셔요

예쁜 것들 다 눈에 담느라
천천히 가는 거유

할매
걱정하지 마셔요

어짠다
이 세상에 하나뿐인 똥강아지라
그런 거유

하늘 색

파란 하늘이 이야기한다
"우리 같이 놀자, 날이 화창해"
하늘엔 새들과 땅에는 나무들이 노래를 한다

주황 하늘이 이야기한다
"나 오늘은 혼자 있고 싶어"
말이 끝나자 파란빛으로 서서히 가렸다

빨간 하늘이 이야기한다
"오늘도 수고했어! 이제 긴장 풀자고"
그리고 해도 잠을 자러 내려가고

회색 하늘이 이야기한다
"아니야 나 아무 일 없어 괜찮아"
얼마 지나지 않아 천둥과 번개가 쳤다

분홍 하늘이 이야기한다
"세상은 아름다워"
덩달아 세상은 사랑으로 물들었다

하늘은 색깔을 숨길 수 없나 보다

긴 밤

밤하늘에
살포시 내려앉아 비친 구름 사이로
무거웠던 눈망울을 포근히 안아주네요
갈기 찢긴 마음에 고이 풀칠해주듯
이 또한 지나갈 거라고 말해주네요

엔도르핀이 머리부터 발끝까지
퍼져서 힘차게 걸어 내려갔죠
오늘 당신은 어딘가 시려 보여요
제 옷에 살짝 스쳐 지나간 빗방울
가다가 길을 잃은 거라면
잠시 저랑 머물고 싶은 거라면
언제든지 놀러 오세요

뭉개 꽃 핀 자리에
잠시 숨죽여 울어도 된다고
부드러운 솜털로 가려주시니
그 솜털이 비를 맞아 사라질지라도
그 마음 잊지 않고 살아가겠어요

어디 가는지 나도 몰라요

하나둘 들려오는 하차 벨 소리
몇 정거장이나 지나갔으려나

거의 종점에 다다랐는지
어디 가는 거예요? 라고 건네온다

저 그냥 바람이나 쐬려고 탔어요

청승맞게,
다음 버스 오래 기다려야 해요!

그냥 바람이 시원하네요

보고 싶어

저 바다 깊이
환상의 나라가 있다는 생각

차가울까 따가울까
맨눈으로 바라보지 못하면서

밤하늘 별까지 생각하며
바다인지 달나라인지
둥실둥실 떠다니기만 해

환상의 나라 이번엔 꼭 가보리
930억 광년 끝도 없는
이곳은 우주바다
아침이 오기만을 또다시 기다려

살아가는 것들에게

아무것도 세우지 않은
밤하늘이 빛난다고
너의 밤은 서글프지 않았으면 좋겠어

어느 날 내려온 별똥별이
아무도 보지 못한 하나뿐이란 것을
너는 보았던 걸 기억했으면 좋겠어

어쩌면 잊어버릴지도 모르지
별빛이 내려와
너의 마음에 숨 쉬고 있다는 것을

아주 깊은 곳이라 그 누구도 아마도 너도
볼 수 없었을 거야

그러니
너무 찾으려고 애쓰지는 않았으면 좋겠어

너를 사랑하는 이들 마음을 데리고
너의 안에 숨 쉬는 별빛이

해는 졌지만 사람들의 표정에 녹아버렸어

갈대가 산들산들하던 날
덜컹덜컹 오솔길을 따라 빨간 지붕들을 지나
드넓게 펼쳐진 바다 앞에 도착했다

가로등은
켜질락 말락 번쩍거리고
선선한 바람 따라
사람들이 하나둘씩 모이기 시작했다

아이들은 까르르 웃으며 뛰어다니고
겉옷을 같이 나눠 입은 남녀는 어깨를 감싸며
한곳을 바라보는 그들의 이야기는
마치 클래식 음악 소리

해님은 내려와
서서히 온 세상을 물들이고
산 중턱에서 마지막 인사를 한다

파도도 여행을 떠났는지
우리들의 그림자로 가득 찬 바다 위로
지는 해는 오늘도 수고했다고 말해준다

사람들의 표정에 녹아버렸다
잔잔한 소리와 표정들
살아온 날들 어떠한들
이 순간은 모두가 저물며 편한 저녁 되기를

양은혜 _____

계절은 마음을 담는다

푹푹 쌓인 눈산을 걷다 보니
봄 끄트머리가 보였다

진달래 속으로 들어가
꽃에 나뒹굴다가

또 다른 계절 하나가 와
남은 이야기를 채웠다

2021년, 가을 양은혜

새해

사랑하는 나의 님에게

새로운 한 해가 밝았습니다
새것이라고 소중하게
전혀 없던 마음으로 시작을 하고
소원하고
축하하는데
저는 헌 마음이라 그런지 채울 곳이 없습니다

이제 빛바랜 그리움은 당신께 부치고
꽃그늘을 드리워도 될까요
어설픈 마음에 적막만 또 짙어질까요

미완인 이내 마음엔
오늘도 답 없는 메아리만 물결쳐 옵니다

싸라기눈

누구의 바람으로 붙지도 못한 채 오셨나
잠시 앉지도 못하고
물처럼 사라지려고 먼 길 내린 것이 아닐 텐데
누구의 간절함으로 얼굴 잠시 비추러 오셨나

아- 그 바람 행복이었으면

봄

고드름 파르르 요동치니
쨍그랑하고 봄이 되었다

외로움

외로움은 정오의 그림자로 보낸다

빛의 뒤에 숨어
가는 데로 따르며
파르르한 몸짓을 숨기고

영영 빛에 맞닿은 벗이 되어
탄생의 존재만 기억된 채
발 그늘로만 피고 지어라

웅덩이

봄비 지나간 자리에 웅덩이가 생겼네
적막을 깨고 나온 물고기 두 마리
웅덩이에 자리를 틀고
서로 입김을 나눴네
꽃비에 살랑이는 왈츠를 추고
홍엽빛에 뜨거운 지느러미를 마주했네

하늘이 희게 시려지던 날
웅덩이가 좁아졌네
꼬리를 세차게 흔들어
저이에게 가려 해도
세차게 붙잡혔네
말 없는 몸짓으로
시린 계절이 지나
또다시 봄이 왔네

지금은 아무것도 살지 않은
웅덩이 옆
퍼렇게 낀 이끼만 이야기를 알겠네

나무

나무는 좋겠다
봄에는 파릇한 내음 풍기는 새싹에 나비에
여름에는 쉴 새 없이 떠드는 매미에
가을에는 색색이 환의하는 낙엽에
겨울에는 하얀 천사 소복이 앉아주니
나무는 좋겠다
벗 떠날 새 없어서

여름이 오면

여름이 오면 함양(檻羊)의 우리에서 벗어나
천산의 바다에 뛰어들자
뛰어들기 좋게 데워진 바다에 몸을 던져
헹가래질을 받고
하늘을 천장 삼아
햇살의 관용을 나신으로 받자

여름이 오면 고동치는 심장에서
게으른 세포를 꺼내 발끝으로 보내자
노를 저어 물마루에서 넋을 놓고 일렁이다
지는 것도 잊어버린 해를 따라 들어가
홍일이 뜰 때까지 별의 노랠 부르자

여름이 오면
여름이 오면 자위의 꽃다발을 들이밀고
일 년을 향해 웃어버리자

장미

꽃이 예뻐 품었더니
점점 세우는 가시에 그것을 빼내려 했다
마음속 가시 박힌 꽃 한 송이가 빠져나올 때마다
쓰라리고 날카로운 상처를 주었다

마침내 난 손에 가시가 찔리는 걸 알면서도
그 꽃을 쥐었다

엄지손가락엔 꽃에 대한 애정을
검지엔 미움을 중지엔 연민을
약지엔 원망을 그리고 소지엔 추억을 가지고
있는 힘껏 꺼내었다

다섯 손가락을 타고 흐르는 붉은 것을 보며
아픔은 잠시
날카로운 가시를 꺼냄에 빠진 만큼 시원하다

이 고통에도 난 다른 꽃 한 송이를 또 품을 것이다

청포도

성큼성큼 올라서는 할아버지
엉금엉금 뒤따라
툭툭 잘라낸 가지가지 청포도 송이

줄기 사이 든 겹빛
달은 얼굴에
우걱우걱
알알이 톡톡

청포도 피고 지고
세월의 빛을 걷어

홀로 한달음 올라간 옥상엔
향만 남아
부끄러운 여름을 지키네

무제

순간이겠지
바다에 물 들어오듯
모래성 쓸려가듯

몇 해가 어제 같고
소원 탑은 천지이겠다

쉬지 않는 파도가
바위를 채 깎기도 전에
사지가 물에 흩어지겠지

순간이겠지
순간이겠다

밤 내음

그 특유의 내음
모든 것이 잠들어 있으나
날 감싼 이곳만 깨어 있는 듯한
잠든 틈에 새어 나온 숨이
단단하게 차가워진 듯한
조용하고
마음이 안정되는 듯한

이 내음이 좋아
풀벌레도 삐리리리 웃는다

가을날

하얀 이슬이 앉아 가던 날 중
누런 볏길이 파란 하늘에 맞닿을 때는 찰나였다
한참을 흔들리다
하염없이 드리우는 햇살에
기어이 마음이 드러났다지

그랬다
한사코 숨겨왔던 내 마음이
이겨 내지 못하고 쏟아져 버린 건
벼 물들던 그 날처럼 찰나였다

아침

아침 가랑비에 새소리가 힘차다
작은 몸으로 근방 모든 이들의 귓가를 맴돌며
아침의 노래 소릴 전한다

비도 신이나
방울 가득 실어
툭하고 퍼트리고

바람도 흥에 겨워
어깨를 살랑이며
창문을 두드린다

밖은 지금 축제
아침 너의 소리가 좋다

조락의 시간

파란 바람에 잎이 툭툭
마지막 춤을 춘다
기쁨의 인사

비도 아니
눈도 아니
한낮에 싱그러움 같은 작별

곱게 차려입고 차례를 기다리는
화려한 이별

퍽 시샘이 든다
시들어 툭 떨어질 나의 조락

달빛을 잡는다

전하지 못한 마음
들지 못한 수화기
얹지 못한 두 팔
잡지 못한 두 손
하지 못한 마지막 인사

괴로움에 저만치 멀어진 이불
얼룩진 베개가
달빛을 한없이 잡는다

달님 빛 따라 흐려지시라
두 손 눈 위에 포개본다

그리운 시골집

벗짚이 산인데 뛰놀 수 없고
냇물은 유유한데 절썩일 수가 없네

평상이 그득그득 들썩였는데
불꽃만 바삐 두터운 공기를 태우네

순진한 그 웃음소리는
몇 해에 나누어 삼켜졌나

추억도 그리워 숨바꼭질한다네

백양사에서

사진기 너머엔
석산에 업힌 애기 단풍
산 등이 굽었다

실눈으로 한참을 보니
멀리 흰 그림자 두 개 비쳐
손을 다정히 흔든다

가로등

아버지 등 뒤에 눈이 폴폴 나린다
호주머니엔 두 주먹 옷자락을 잡고
바닥이 가까운 발만 동동 구르다
연신 가로등에 보람 없이 몸만 녹이다
기척에 고개만 분주하다

피를 삼킨 숱한 용서
허공에만 흩어지고
공연한 기다림에
까만 가로등이 되었다

우리가 살던 곳

우리가 살던 그 집에는 괴물이 있었다
복도를 타고 흘러든 시린 바람도
괴물의 존재를 이길 순 없었고
난간 끝 가슴만치 봉긋이 쌓인 눈이 밀려
머리에 툭툭 떨어져도
천근 같은 문고리를 돌릴 힘은 없었다

우리가 함께 살던 그 방안에는
눈을 떠도 보이지 않는 어둠이 있었다
휘청휘청 떨리는 몸도
뒤집어쓴 이불이 감춰주지 못했고
아니야 아니야 귓가를 맴도는
닿지 않는 외침만 가득했다

내가 살던 그곳에는
비겁하고 나약한 겁쟁이가 있었다
꼽등이도 부끄러워 퉤하고 피해버리는
작고 보잘것없는 것이었다

우리가 떠난 그 집에는
끊이지 않는 통곡의 메아리 속에
얼굴을 들 수 없는 존재가 살고 있다

지금도 문을 넘어 그 울음소리 들려온다

비

산 비는 투둑투둑
바다 비는 타다닥 타다닥
이곳의 비는 티딕티틱 디틱

인간의 세월에 부딪힌 비는
모든 마음을 담아 불협화음

마루

어제 머물던 마루에 나왔더니 한기가 든다
스산하다
불을 땠는데 온통 시리다
분명 불을 켰는데 빛이 물결친다
머물다 간 이가 온기까지 거두어 갔나
빛살마저 데리고 갔나

함께 머물던 마루가 차다

벗

가고 가고 가다가
나란히 길이 맞닿아
같은 계절을 나누고
걷다 만난 웅덩이에 손을 맞잡고
좁은 통나무를 아슬히 해내며
하나가 마음 바빠 먼저 뛰다가
어느 날은 다른 하나를 밀어주고
마주한 갈림길에서
서로 다른 길에 맞닿아
건너 길은 까마득 멀다가
돌고 돌아 다시 만난 한 길에
어깨를 얼싸안고 노래를 부르고
다시 한 박자로 발맞추는
그런 산책 같은 것이 벗은 아닌지

어머니의 겨울

냉골 바닥에 몇 겹의 양말로
밤을 지새웠겠지
구찮은 얼굴로
식은 밥을 물에 말아 드셨겠지
서산에 진 실빛으로
침침한 눈을 비비셨겠지

야야 따습게 자라잉
뒤통수를 향해 연신 외치시던
어머니의 겨울은
홀로 춥겠다

봄이 오면

겨우내 덮여 있던 검은 막이 날아가고
추운 마음이 걷히고
나무도 꽃도 살아 보겠노라 깨어난다

바람 따라 마음속 뜨거운 열정 불러올 수도 있고
마음 한편을 비워 꽃가지 한 아름 채울 수도 있다

깨어나는 봄
채워지는 봄
그런 봄이 좋다

바람

저 바람이 철새도 데려다주고
구름도 몰고 오고
꽃씨도 불어오는데
내 님 곁은 그저 스쳐 지나갔나
달아나 붙잡지 못했나

바람아
그가 널 안아 가슴에 묻는다 하면
내 묻지 못하는 그리움이라도 전해다오

들꽃

들판에 꽃이 진다
서서히 그리고 자연스레 뿌리를 내렸던 들꽃들이
제 생명을 잃고 있다

발전해 버린 환경의 탓인가
가끔은 짓밟기도 했기 때문인가
아니면 관상용으로 키운 것만 보살핀 탓인가
그것도 아니면 누군가 일부러 약을 뿌렸나
들판에 꽃이 진다

새로운 싹은 피어야 한다
이곳저곳 흩어지고 변해버린 씨앗 중
고르고 고른 씨앗이 바르게 옮겨질 수 있도록
길을 터주자
바람과 바람에 실어 날려 보내자

싹은 분명 트고 들꽃은 다시 핀다
지금도 어딘가에선 그럴 것이다

여름

이팝나무꽃
산딸기꽃
쥐똥나무꽃
찔레꽃
더위와 함께 무르익어지는 여름의 꽃

잎 더 푸르르라고
하늘 더 찬란하라고
열매 더 화사하게 익으라고
여름의 꽃은 색을 내어주고 향기를 낸다

계절 찬양

봄은 힘이 있다
허나 모두를 깨우기는 쉽지 않다
하나둘 깨어나면 그 개운함에
만물이 온통 깃을 세우고 발할 준비를 한다

여름은 어떤가
그새 때를 알고 날개를 활짝 편 곤충들에게
초록빛 그늘을 내어주고
제힘 뽐내던 해에 맞서
상쾌한 물도 한 방 먹이지
통쾌하다

그 통쾌함은 나락도 키운다
누가 언제랄 것도 없이
너도나도 단내를 풍기며 영글어가고
달은 휘영청 새도 높이 띄운다

겨울은 까맣게 찾아와 쉼을 준다
괴로움은 하얗게 덮어버리고
기나긴 여운이 정리치 못한 것들에게 시간을 준다

봄 여름 가을 겨울
손들어 차례를 기다리다
때가 되면 온통 제빛으로 만물을 물들인다

바다 꽃

수평선 붉은빛 배 행렬 따라 걸음을 맞추다
잠시 눈이 마주친 바다 꽃
바닷물 먹고 자라 바위 위 내린 처지가 가여워
한참을 바라보다
기대 없던 향기에
너도 꽃이구나 하고 웃음이 난다

감

시골집 가을엔 감이 나뒹굴었네
짝없이 놓인 신발을 비집고 마주한 문 한편에는
소쿠리째 감이 있었네
초록색 감 노란색 감
어느 날은 잘 익은 주황색 감과 홍시

저만치 밀어둔 한가득한 감은
그리움이고
사랑이고
기다림이었네

이제 시골집엔 감나무도 없고
소쿠리도 없고
신발도 없는데
내 손 한가득 감 한 봉지만 들려있네

별 보러 가네

산으로 산으로 별 보러 가네
회색조 광공해에 떠나간 별 보러 가네
너 하나 나 하나 소원하고
어머니 눈물을 닦아준 희원의 별

은반을 우로 기울여
길을 내주어도
오지를 못하네

바다로 바다로 별 보러 가네
고단한 인해에 창해 위 자리 튼 별 보러 가네
천공을 길라잡고
외로움을 달래준 벗과 같은 별

바람을 휘이 불어
흰 막을 걷어도
숨을 곳이 아직 남아있다네

빛의 시간을 떠나온 그 별을
이제는 내가 보러 간다네

기다림

검게 흐려진 산등성이
불빛 몇 개가 외롭다

지붕 위 김은 폴폴 나고
별빛 허옇게 가려지고
먼 천장만 바라보다
수화기만 들었다 놨다
개만 울부짖는 적막함 속 티브이 소리만 요란하다

가까워지는 바퀴 소리
너일까 문턱이 닳고
신 한 짝만 질질 끌고 들어가
장롱 깊이 숨겨놓은 사탕 하나만 만지작

불빛은 꺼지고
밤새 티브이 소리 요란하고
전화기 옆 누운 등 하나가 외롭다

무지

빠알간 동백 길이 줄지어도
억수 같은 비에 매미 가려 울어도
오지 않으실 거죠
오지 않으실 거죠

소나기 간 자리에 하늘길 열려도
불꽃 만개해 활개를 쳐도
오지 않으실 거죠
오지 않으실 거죠

텅 빈 거울을 바라보며
연거푸 되뇌지만
오실 것이야 내심 소원하는
무지한 나는 아무것도 모릅니다

그곳

포대기 들춰 엎고 쫓겨나
눈 소복 쌓인 냇가 앉아
엄마 흐느껴 울던 곳

눈물길 따라
산딸기야 물고기야
노을빛 등에 지고 돌아오던 곳

삼백 포기 절인 배추에
샛별이 볼 새도 없는 엄마 옆
하얀 소만 우걱우걱 씹던 곳

까맣게 그을린 장판에
두터이 깔아 놓은 이불 속
긁어대는 쥐 소리 자장가 삼아 잠들던 곳

흩어진 기억 조각조각 맞추니
아아 그곳도 철없는 떼쟁이 추억이었구나

편지

친구야
괴로운 너에게 편지를 쓴다

네 길에 놓인 철창을 모두 걷고
밖으로 나와 춤을 추자
피를 토하게 웃어버리자

비를 많이 맞은 꽃은 진다
부드러운 햇살도 열매를 말린다

긴 휴지는
끝을 모르는 어둠 속에서 발버둥치게 하니
네 비를 나눠 나에게 뿌려라

나의 꽃도 다 지고 나면
우리는 저 눈밭을 향해 뛰어들어 나비를 만들고
새로운 봄을 또 꿈꾸자

새와 나

가지런히 앉은 새무리가
장맛비에 몸이 흠뻑 젖는다
끄트머리에 홀로 앉은 한 마리 옆으로
한 발짝 한 발짝 발을 맞춘다

당연한 몸짓으로
서로를 감싸 추위를 달래고
자리를 바꿔가며 바람을 막다
차례로 길라잡이가 되어 준다

가만히 우리를 들여다본다
나를 돌아본다
폭풍우 속에 어느 대가 없는
손 한번을 건넨 적이 있는지

그렇게 흘러가세요

그대의 머리칼 잠시 어루만져 줄
바람으로라도 있게 해달라 기도했지요
콧잔등에 살포시 앉았다 갈
꽃향기로라도 되게 해달라 기도했지요
걸음걸음 발맞춰 걷게 할
우산 위 비라도 되게 해달라 기도했지요

바람은 잠시 스칠 뿐 온기마저 거두었고
꽃향기는 다른 이를 기억하게 하고
비는 그대로 둥근 살 따라 흘렀습니다

손길에 남아 머물지 못하고
어깨 위 잠시 짙게 물들어갈 수도 없는 거라면
그대 그렇게 흘러가세요

사계절

인생이 사계절이라면
나는 매미 울기 시작하는 여름
엄마는 억새 익는 가을
할머니는 기쁨의 성탄절

할머니 머리에 눈이 소복소복 쌓인다

고요비 _____

마음으로 보는 일상

새벽하늘은
모든 소음을
잠재우고
꿈꾸는 눈망울을
따뜻하게 품어준다

두려움을 붙들고
어둠의 계단을 오르며
얼어붙은 마음이
녹아내린다

다 괜찮다고
이제 곧
아침이 밝아온다고
토닥토닥
쓰담쓰담

때가 되면

때가 되면
시들 것을 알기에
지금 이 순간
지금 이 느낌을
우리 안에 활짝 피우리라

때가 되면
너만의 힘으로
멋지게 성장할 것을 알기에
애쓰지 않고 바라본다

너의 마음이 평화롭기를
자유롭게 표현할 수 있기를
매일 매일 응원하고 사랑한다

빈틈

빈틈으로 빛이 쏟아진다
걸음을 멈추고 생각에 빠진다

내 인생의 빈틈은
아마도 지금인가 보다

틈 없이 힘주고 살았던
역할은 이제 놓아 보낸다

힘을 빼고 흐름을 받아들인다
힘을 빼니 열정도 빠지는 것 같다

열정이 빠지니
내면과의 대화가 깊어진다

변화를 인정하고
잔잔한 열정을 키워본다

미지근함도 괜찮구나
흐릿함도 괜찮구나
침묵도 괜찮구나
다 괜찮구나

구름 새

멋지게 날아다니는 구름 새
불을 뿜는 것 같기도 하다

불이 아니면 뭘까
구름의 형태도 나의 상상도
연기처럼 흩어질 것이다

하늘이 주는 영감은 사색으로
가는 통로이고 이야기의 시작이다

파도

파도는 파도의 경험을 하며
부서짐을 저항하지 않는다
순간에 집착하지 않는다

부서짐을 받아들이는 것은
사라지는 것이 아닌
본래로 돌아가는 것임을 안다

가을꽃

작은 컵 안에 가을꽃
커피 향에서 가을 냄새가 난다

에스프레소 마키아토
깊은 쓴맛을 살짝 덮고 있는 단맛이 좋다

흰 맛은 환절기처럼 여름과 가을을 이어준다
눈으로 상상하는 맛이 환상적이다

단맛에 살짝 걸친 쓴맛이
서늘한 초가을 같아서 재밌다

컵이 비워지고 바닥이 보일쯤
진한 쓴맛 안에 단맛이 떠오른다

커피를 맛보는 과정에서 삶을 배운다
나는 주어진 삶을 온전히 맛보고 있는가?

빗물

지구의 열을 식히고
세상을 씻겨주는 구름 빗물
마음이 녹아내리며
가슴을 타고 흐르는 우리 눈물
아픔을 꺼안은 사랑에
고마움으로 가슴이 벅차오른다

아침이 밝아 오는 산책길
빗방울 맺힌 나뭇잎
예쁘다
사랑스럽다
아기처럼 귀엽다
아무것도 하지 않아도
그 자체로 충분하고
생각 없이 행복해진다

우리의 그림자

지금까지 우리 서로의
그림자를 들춰보며
참 힘들었고 아팠지만
그로 인해 있는 그대로
마주하는 힘이 생겼구나

빛의 배려로
너를 통해
나는 그림자를 보고
나를 통과해
너는 성장한다

태양

눈을 뜨고 있어도 눈을 감고 있어도
태양은 세상 모든 것을 비추어 준다

우리가 어둠에서 벗어나지 못할 때에도
태양은 분별없이 빛으로 두드린다

언제든 마음을 열고 밝음을 선택하면
태양은 따뜻하게 빛을 입혀 준다

멈춤

바쁜 걸음을 멈추게 하는 순간
몇 초 생각 없이 들여다본다
몇 초 만에 마음이 평화롭다
몇 초 만에 에너지 흐름이 바뀌는구나

숨 쉬는 대화

너의 글은 너처럼 귀엽고 사랑스럽다
나의 마음은 들꽃을 보듯 너에게 말을 건다

우리는 문자 사이에 숨을 고르고
대화의 그늘에서 잠시 쉬어간다

너는 생각하며 잠으로 빠져들고
나는 기다리며 꿈속으로 빠져든다

나의 그림자

살아 숨 쉬는 동안
그림자는 자연스럽게
나와 함께 한다

두려워하는 것은
내 습관적인 감정일 뿐
그림자는 좋고 나쁨이 없다

아픈 기억들로 조각난 마음이
나도 모르게 내 그림자가 되어
말을 걸어올 때

그 아픈 마음들을 받아들이고
기억을 재해석하는
시간이 필요하다

살아 있는 한 우리는
빛에게서 에너지를 받고 있으며
그로 인한 그림자는 자연스럽다

빛의 눈

내가 하늘을 보며 웃을 때
하늘도 나를 보고 웃네

내가 하늘을 보며 울 때도
하늘은 나를 보고 웃네

내가 하늘을 잊고 있을 때도
하늘은 나를 보고 웃네

내가 가족을 그리워할 때도
하늘은 나를 보고 웃네

내가 기쁨으로 하늘을 보게 될 때
나는 하늘의 빛나는 눈을 보았네

내가 마음으로 하늘을 보게 됐을 때
하늘은 빛나는 눈으로 나를 지켜보네

내맡김

내가 손댈 수 없는 너라서 행복하다
너는 너로서 존재하고 완전하다

내가 할 수 없는 일이라서 행복하다
그 일은 그것 자체로 완전하다

내가 잡을 수 없는 감정이라 행복하다
어떤 감정이든 올라오는 그대로 완전하다

내가 나라서 행복하다
나는 존재 자체로 삶 속에서 완전하다

세상 속에서

세상은 나누는 마음이다
매일 새로운 아침 햇살이
우리에게 나타난다

세상은 나누는 마음이다
매일 새로운 달과 별이
우리에게 나타난다

세상은 나누는 마음이다
매일 새로운 공기로
우리를 숨 쉬게 한다

마음으로 연결되어

바다 위를 보며
바다 밑을 생각하네

보이지 않는 그 깊은 마음을
얼마나 오랫동안 들여다봐야
마음이 연결될 수 있을까

때때로 얼어붙은 땅을
입김으로 데우며
마음이 차오를 때
가끔은 내 등을 토닥이는
따뜻한 손을 만난다

구슬을 실로 꿰듯이
마음이 하나둘 연결되어
각자의 땅에 뿌리를 내린다

나를 비우고 너를 채우고

너와 나는 다른 취향을 마신다
다름으로 넓어짐이 참 좋다

가까운 사이에 멀리 볼 수 있음이 좋고
다른 맛을 경험하는 과정이 즐겁다

건강한 몸과 정신을 만들어 가듯
건강한 관계도 오랜 연습이 필요하다

우리는 여전히 서로의 마음을
비우고 채우며 배우는 중이다

나는 너를 알면서도 모르기에
너라는 사람을 배우는 게 참 좋다

나에게

비가 올 때
우산이 필요한 사람은
나와 가장 가까운 곳에 있다

눈이 올 때
털장갑이 필요한 사람은
나와 가장 가까운 곳에 있다

자신을 건너뛰고
누군가를 위한 마음에 애쓴다면
나와 가장 가까운 나는 누가 보아주는가?

듬직한 바위와 꽃

봄날 어느 길가에
바위에 기대어 쉬고 있는
아름다운 꽃을 보았네

이른 아침부터
태양을 받아 둔 바위는
꽃이 쉬기에 충분히 따뜻하네

언제나 듬직하게 있어 준
바위에게 얼굴을 비비며
꽃들이 활짝 웃네

나는 너에게

나는 너에게 영감을 불어넣는 바람으로
나는 너에게 비를 피할 수 있는 우산으로
나는 너에게 배우는 기쁨을 전하는 입술로
나는 너에게 호기심을 부채질하는 입김으로
나는 너에게 소통의 즐거움을 누리는 통로로
나는 너에게 안전함을 보여주는 경험으로
나는 너에게 다양함을 볼 수 있는 창문으로

일복 많은 비

비는 세상 모든 먼지를 씻어준다
비가 바닥에 닿으면 물방울 리듬이 춤춘다
비를 맞는 모든 것이 축축하게 젖는다
비를 안에서 만나면 누구든 차분해진다
비를 밖에서 만나면 대부분 바빠진다
비는 모든 것을 씻기고 필요함을 채워준다
비는 아이에게 자장가를 불러주고
비는 어른에게 감성을 불러일으킨다

운명

따뜻한 땅의 지지와
태양의 빛나는 응원으로
활짝 피어난 꽃들

너의 아름다움이
내 마음을 아름답게 한다

자신을 활짝 열어
세상에게 주는 아름다운
마음에서 풍부한 사랑을 느낀다

나는 너의 아름다움에 취해
너의 귀한 것을 내 몸에 묻히고
너의 귀한 것을 빨아들여

다른 세상의 생명들에게
너의 아름다움과 생기를 전한다
나에게 그 일이 운명이라는 것을 알기에

마음을 모른다

우리는 같지만 다르고
어색하지만 떠나지 않는다

우리의 언어가 다름을 알지만
어떻게 배워야 하는지 모르겠다

때로는 홀로 있는 것도 좋지만
대부분은 같이 있으면 좋겠다

고개를 돌려 다가가고 싶지만
어떻게 시작해야 할지 모르겠다

누군가 마음을 통역해 주길 원하지만
나의 진심을 펼쳐 보이는 것이 두렵다

가슴 채우기

하루에 세 번
심장에 손을 얹고
살아 있음을 느껴본다

밖으로 흩어진
나의 시선이
안으로 돌아온다

비어 있는 가슴을
나 자신으로 채우며
온몸을 따뜻하게 바라본다

땅바닥

길을 걷는다
땅바닥을 걷는다

한발 한발 걸을 때마다
발바닥을 밀어준다

힘차게 올려주는
땅바닥의 마음을 받아들인다

길을 걸을 때마다
땅바닥은 누구든 상관없이
그의 발바닥을 밀어준다

가을비

가을에 비가 오면
바람을 타고 춤을 추던
낙엽들이 비에 젖어
서로가 부둥켜안는다

가을에 비가 오면
빗물이 낙엽을 씻기고
땅으로 내려보내
잠든 겨울을 깨운다

가을에 비가 오면
바람과 낙엽들의
춤을 볼 순 없지만
겨울이 오고 있음을
반갑게 기다린다

꽃 안에 별

밤에 보는 별은
하늘에 반짝이고

아침에 보는 별은
꽃 안에 반짝인다

모든 꽃은
활짝 피어날 때
선명하게 빛이 난다

세상 모든 것에
그 나름의 별이 있다
어둠에도 별이 있고
밝음에도 별이 있다

모든 별은
자기답게 빛이 나고
그것을 알아보는
눈과 마음에 담긴다

그대로

보는 그 자체의 기쁨으로
보고 있다는 것을 잊는다

세상을 둘러싸고 있는
내 마음의 편견이 잊혀진다

눈을 의식하지 않고
보고 있음도 잊는다

보이지 않는 것을
보려고 애쓰지 않는다

그저 보이는 그대로
볼 수 있음으로 본다

마음도 몸처럼

태양 빛이 몸에 닿아
몸의 그림자를 보여준다

길가의 예쁜 꽃들로
몸의 반쪽을 장식한다

마음에 예쁜 빛을 담아
웅크린 감정을 살펴본다

빛을 보며 놀라워하는
어두운 마음이 활짝 핀다

내 안에 나

내가 나를 버려둘 때
가슴은 온몸으로 기다렸네

내가 나를 밀어낼 때
가슴은 온몸으로 포옹했네

내가 나를 미워할 때
가슴은 온몸으로 사랑했네

내가 나를 수치 줄 때
가슴은 온몸으로 받아줬네

내가 나를 학대할 때
가슴은 온몸으로 치유했네

내가 나를 잊고 있을 때
가슴은 온몸으로 일깨웠네

내가 드디어 나를 만날 때
가슴은 온몸으로 환영했네

빗물에 번짐

차 안에 앉아서
움직이는 풍경을 본다

비와 바람이 뻣뻣한
나무를 흔들어 적신다

창문에 빗물이 퍼져
풍경이 흐릿해 보인다

창문과 나무는 가깝지만
간격이 있다는 것을 안다

흐릿해 보이는 건
창문이지 나무가 아니다

언제든 창문을 말끔히
닦아내면 풍경도 나무도
선명하게 보일 것이다

때가 되면 밖으로 나가
풍경과 하나가 될 것이다

거리두기

서로의 마음을 볼 수 없을 때
우리에게 필요한 건 간격이다

내가 나의 마음을 알 수 없을 때
나에게 필요한 건 간격이다

간격을 두고 마음에 공간이 생길 때
초점을 맞춰 제대로 볼 수 있다

이 공간에서

목에 맺혀 갑갑했던 말들이
이 공간에 둥둥 떠다닌다

공기는 공간을 채우고
우리는 이야기를 채운다

헤아리지 못했던 감정들이
호흡을 통해 흘러간다

노랑 장미

노랗게 활짝 핀다
노랑 장미가
왜 노랗게 피었는지
나는 묻지 않는다

세상을 관찰할 때
아무것도 모르는 나를
있는 그대로
보는 그대로 받아들인다

자연을 사랑할 수는 있지만
왜 그런지 묻지는 않는다
사람들을 사랑할 수는 있지만
왜 그래야 하는지 묻지는 않는다

모든 사람은 그들만의
고유한 특성을 찾아가는
아름다움 경험을 살고 있기에
그들이 삶으로 표현하는
모든 것은 자연스럽고 당연하다

나무의 의지

신호등을 기다리는 짧은 순간
나도 모르게 끌리는 나무를 본다

모든 감각이 멈춰지는 듯
나무의 생명력에 빠져든다

몸과 숨소리를 낮게 숙이고
나무껍질에 난 길을 따라간다

마음으로 에너지가 들어와
나무의 성장을 이해한다

변화하는 환경에 저항하지 않고
끊임없이 적응하고 있었구나

나무껍질 겹겹이 새겨진
길이 아름답고도 애잔하다

안과 밖

안에서 밖으로
밖에서 안으로
내가 있는 곳이 어디인지
그것에 따라 생각은 변한다

변화하는 생각을
마음으로 바라볼 때
내가 어디에 있든
모든 것이 하나임을
느낌으로 알게 된다

보이지 않는 벽

비가 온다
비가 넘친다
땅이 딱딱하게 굳어
비를 담지 못한다

비는 마른 땅에
스며들어 촉촉하게
뿌리 내리고 싶었고
땅의 안부가 궁금했다

하늘

걷다가 하늘을 올려다본다
그 사이 나무를 올려다본다
그 사이 장미를 올려다본다

운 좋은 오늘 하늘을 바라보며
초록 초록 생기있는 나뭇잎을
빨갛게 열정으로 피어난 장미를
작지만 빛나는 초승달을 본다

하늘을 바라보며 자연이 주는
예술을 마음에 담고 감탄한다
이 느낌을 받은 그대로 사람들과
나눌 수 있다면 얼마나 좋을까?

그림자

세상에 보여지는 모든 것에
빛이 닿을 때 그림자가 드러난다

우리는 그들의 그림자를 보며
피하거나 놀라워하지 않는다

의자는 의자인 채로 그림자를 만들고
나무는 나무인 채로 그림자를 만든다

우리는 그들의 그림자에 기대어
강렬한 햇빛을 피하며 안심하기도 한다

花

아름답구나
예쁘구나
생기있구나

그렇게 멋지게
그렇게 침묵하며
활짝 피었구나

지나가는 나는
그저 감탄하고 감동한다

어둠 속에선 어떤 아픔을 견디고
그렇게 아름답게 활짝 피었을까

그저 바라보며 침묵을 배우고
아름다움을 배운다

너라는 꽃을 활짝 피우기 위해
아픔으로부터 치유가 되는 거구나

그렇게 활짝
마음과 가슴이 열리면
몸도 마음도 자유로워지는구나!

마음 연습장

당신의 마음을 비추는
나는 거울입니다
어떤 마음이든
상관없이 비춰보세요

당신의 마음을 그리는
나는 백지입니다
어떤 그림이든
상관없이 그려보세요

당신의 마음을 쓰는
나는 노트입니다
어떤 글이든
상관없이 적어보세요

당신의 마음이
자유롭게 표현될 때
당신 안에 내면아이가
사랑이 되어 자라납니다

소우주 _____

삶에 로망이 있는 위로

맑은 눈으로 알아볼 계절
소명의 빛을 비추는
선물 같은 너의 인생

가장 아름다운 시절

선물 같은 너의 인생
가장 아름다운 오늘 인연
소중하게 대접할 오늘 인연

하늘의 사랑으로 빛난다
별의 꽃이 피어난다.

사랑이 살아서

살고 싶어서 택한 도구가
살아야만 하는 이유가 되고
살 수밖에 없게 한 힘이
오늘의 나를 웃게 한다

뭉클하다
이토록 사는 모습에서

너와 나의 모습이 비춘다
천 가지 환한 웃음으로.

오늘 행복

조금씩 나빠졌다면
조금씩 좋아질 수 있습니다

내일 차가운 바람이 분다 해도

환상적인 나를 만날 행운
환상적인 사람들을 만날 행운
환상적인 사랑을 만날 수 있는 행운

환상적인 행복의 날
오늘에.

무엇을 원하나요

하늘이 허락한 간절한 하루
그대의 하루

소중한 시간을 헛되이 보내지 말아요

사랑할수록 사랑이 늘고
걱정할수록 걱정이 늘어난다면

그대의 하루 사랑과 걱정
1도 좁은 각 그 사이에서

사랑인가요
걱정인가요

무엇을
원하나요.

보이나요

그대가 그토록 찾던
네 잎 클로버 행운이

그대 보이나요
내 안에 넘쳐나는 세 잎 클로버 행복이
그대여 지금 무엇을 찾나요
넘쳐나는 세 잎 클로버의 세상에서

부디
네 잎 클로버 행운을 찾느라
세 잎 클로버의 행복을 잃어버리지 마세요

그대 내가 많이 사랑해요.

아픈 기억

두려움이 밀려와 흔들리고 계시나요
걱정 불안도 함께 하나요

보이지 않는 무엇 기분일까요, 상상일까요
아픈 기억에 두려운 겁니다

착한 내 마음이 다쳐서 견디기 힘듦으로
시리고 아픈 겁니다

선심에 빛이 들어와 대수롭지 않도록
그대 오늘도 기도해요

두려움은 내 앞에 파도같이
부서지는 물 같은 것입니다

나를 돌보세요
나를 사랑으로 돌봐 주세요.

외로움

나 혼자의 외로움
그 고독의 장소에서

메마른 마음에 두드림
그 울림을 듣는 그곳에서

나는 다시 살아난다.

사(似)계절

만일 겨울이 없다면 계절이 있을까
만일 가을이 없다면 계절이 있을까

만일 여름이 없다면
만일 봄이 없다면

그대와 나 어느 계절에 살아가나요
그대와 나 어느 계절에 있나요

우리가 찾는 파랑새는
어디에 있나요

봄
여름
가을
겨울

어디에 있나요.

가장 좋은 나

선물 같은 인생
살아가며 겪는 신비로움은
하루하루의 '합'이다

오늘 그대
무엇을 했는가

오늘이 가장 좋은 날인데
오늘이 가장 좋을 나인데.

엄지척

'나'라는 마음 밭에
'너'라는 씨앗을 뿌렸다
심고
거두었다
그리고
별것 아닌 일상의 위대함을
발견한다.

새날

그대
새로운 선택을 시작할 수 있어요
내 안에 힘을 믿어야 해요

오늘 새로운 나를 만나는 일(日)
모든 것이 새롭다.

오늘껏

삶이 살아가며 겪는 신비라면
오늘의 순간은 끝이 아닌 시작이 되고
너의 삶에 함께하고 싶은 하루가 된다.

시선

네가 바라보는 세상에
내가 바라보는 세상에
함께 바라보는 세상에

과거의 너와
오늘의 내가

미래의 우리가
너와 내가 살아간다

너와 내가 지금 이 순간에 산다
너와 내가 지금 이 순간을 살아낸다.

그런데도

들장미 언덕 위에
환하게 미소 짓는 나의 하루가
반가워 달려가고 싶은 마음이 들 때면
그런데도
나를 붙드는 아픈 가시의 기억이
눈물 나는 하루가 되게 하는
눈 부신 해를 보게 한다
들장미의 아름다운 날이 좋은데
들장미의 아름다운 나를 원하는데
소우주는 눈물의 기억을 거두고
희망하며 다시 걸어본다
후, 마음을 가다듬고
천천히 아주 천천히
눈물 나는 날들을 생각하며
어린 슬픔과 함께
다시 희망으로 미소 지어준
나의 시간에 호흡하며.

내 삶의 이유

오늘이라는 날의 합을
너와 내가 붙들어 버린 세상에서
함께 한다는 이유만으로 살아야 한다면
나는 너와 아름답게 살고 싶다
오늘이라는 날의 합을
너와 내가 붙들어 버린 세상에서
오늘을 산다는 이유가
나에게 아픔이며 기쁨이라고 말하고 싶다
오늘이라는 날의 합의 인생을 살며
내일을 꿈꿀 수 있는 건 오늘을 사는 이유
오늘이라는 날의 합에 인생을
아름다운 이유라 부르고 싶다
오늘이라는 날의 하루에서
네가 내 삶의 이유라고
너와 내가 붙들어 버린 세상은 아름답다고
네가 내 삶의 이유라고
내가 네 삶의 이유라고.

시간에 기대여서

코스모스밭에 너와 내가 숨어 앉아
도란도란 마주하며 바라보고 노래해
너와 나 우리만의 시간에서 노래해

사랑 안에서
우리만의 세상에서 대단하다 칭찬하며 노래해

사랑 안에서
너와 나의 한 날을
시간에 기대여서 노래해.

꿈을 꾸는 동안

멋진 꿈을 꿀수록 설레는 나의 마음에
네가 다가와 용기의 말을 준다
어느 날 나에게 다가와 너는 내게 말했지
괜찮냐고 괜찮다고
꿈을 꾼다는 건 살아 있다는 증거라고
하루를 살아간다는 건
존재로 존엄함의 기적이라고

나는 네게 말했지
멋진 꿈이 뭐냐고
나도 꿈을 꿀 수 있냐고

그 멋진 꿈, 한 번 사는 삶에
나도 꿔 볼 수 있는 거라면
나의 오늘은 보물 같아서
너의 하루가 무지개 빛으로 물들고
용기 낸 나의 하루
별빛도 가득하기를 바라본다.

일생 일문

네가 바라는 나 말고
내가 바라는 나 말이야

내가 바라는 나는
어떤 나인가
어떤 나일까.

나와의 대화 1

거울아, 꼭 해야만 하는 거니
거울아, 꼭 가야만 하는 거니
거울아, 꼭 할 수 있는 거니
거울아, 꼭 너여야만 하니
거울아, 꼭 해야만 하는 마음에게 말해줄래
할 수 없음의 마음 사이에서 아파하지 말라고

거울아 마음에게 말해줄래
천천히 하면 된다고
천천히 하면 할 수 있다고
그래서 갈 수 있다고
할 수 있다고 해낼 수 있다고
거울 앞 나를 보는 나를 본다.

나와의 대화 2

거울아, 내 손에서
너의 온기가 고맙다

거울아, 다시 오르는 온기가

점점 식어가는 나의 온도를
점점 차가워진 나의 마음에

따뜻한 온기로 다가와
어느새 나의 온기를 올려준다

거울아, 네 마음에
예기치 못한 마주침으로
나는 다시 온기를 느낀다

거울아, 네 손에서
나의 온도가 고맙다.

갑자기 멈춰버린 하루

시간이라는 길에서 길을 잃어버린 거죠
시간이라는 길에서 빛을 잃어버린 거죠
길을 잃은 나요
빛을 잃은 나죠
다시 빛을 만날 수 있을까요
다시 빛에 다가설 수 있을까요
아직 아닌 나여서
아직 어린 나여서
빛이 다가온다면
길을 바라볼 나인데
반가울 나인데
괜찮을 나인데
용기 낼 나인데.

나를 비운다

이대로 더는 안 된다고 처음부터 지금까지

나를 비운다
지나온 날들을 모두 다 비워낸다
불안도 두려움의 깊은 슬픔 분노까지

깨끗하게 비워낸 공간에 나는 다시 홀로 남아
허무함의 숲속에서 지저귀는 파랑새

애처롭다
지금 해야 할 일 파랑새의 울음소리

벅차다
지금 해야 할 일 파랑새의 간절한 날갯짓

나를 비운다
지금 해야 할 나의 일
지금 해야 할 나의 하루의 일

향기 나는 점

매혹적인 향기를 가지고 나선 너는
살아 있음의 점 하나 그리며
혼란스럽기만 했지
지금 나는 누구 어디쯤인 걸까
수 없이 되뇐 수많은 질문
매혹적인 향을 낼수록
끝을 알 수 없는 오늘의 미로를 걸어갈 뿐
그럴수록 너는 어디로 나가야 하는지
출구를 찾을 수 없었지
손발이 꽁꽁 얼어버렸던 그 겨울
그곳에서 있는 작은 얼음 소녀
꼭꼭 갇혀서 녹지 않으면
깨져버리는 얼음 소녀
유리알 같은 얼음 소녀
매혹적인 향기 나는 얼음 소녀
이제 어디로 가야 하나요? 또 다른 출구는
포기하지 않는 얼음 소녀
어제에 있나요? 오늘에 있나요.

happy now

부정적인 생각은 아무것도 없는 빈 곳
이제는 아무것도 없는 공간에서
갈등을 빚지 않아도 돼요
부정이 주는 싫음에 그 당연함에 취해서
우울해 말아요
지난날의 슬픔은 디딤돌 같은 거예요
돌아설 수 있다면 돌아섰다면
오늘을 살 수 있는 나를
우울 속으로 밀어 넣지 말아요
이제 당신
happy now
행복해도 돼요
웃어도 돼요
돌아서서 오늘을 살아가요
돌아서서 행복하게 살아가요
오늘을 살 수 있어요
온전히 당신을 살아요
있는 그대로의 나를 살아요.

보여줘

보여줘 꿈에 그리는 널
보여줘 꿈에 보이던 널
보여줘 오늘은 당당하게 만날래

보여줘 다시 태어난 날에 너를
보여줘 내 마음속에 들어와서 내게로 와줘

한계의 강 건너편
그대 서 있는 내 마음 새로운 날을 보내
너의 새로운 날에서 자꾸 멀리 가지 마

여기서 보여줘
너의 새로운 오늘을.

사는 생각

나는 완전한 평화를 선물로 주고 싶었을 뿐
다른 건 없었어
나의 평화를 너에게 알려주고 싶었을 뿐
지난날 나는 온전한 하루를 만날 수 없었어
고통의 터널 이런 어둠은 처음이야
춥고 공허하고 두려워
삶이 끝난 것처럼 빛을 바라볼 수가 없어
이별은 그렇게 옳다고 볼 수 없는 아픔에
슬픈 아픔 그 후회의 괴로움
나를 괴롭히며 살지 않을래
이제부터는 우리를 위하여
내일이 있는 오늘을 선택하려 해
다시 무언가를 할 수 있는
자연스러움을 위해
그래도 용기 내 볼게
숨을 크게 내 쉬면서 한 걸음 더 가볼게
빛에 닿을 때까지 할 일을 할 거야
해야 할 일부터.

현존

무너져 가는 세상에서
너와 내가 이래저래 꾸며진 듯 하나
있는 그대로 현존한다

현존하는 너와 나의 지금은
소중한 삶이 하늘에서 보내준 선물이다.

기적의 선물

너는 이미 기적이라는 말
불의하고 나약한 상황에도 믿는 말
믿음의 시련은 말로 표현할 수 없고
고립된 하루는 삶을 고단하게 한다고 하지만
사랑의 모험에서 만난 사람들 덕분이다

그들과의 만남과 이별이
유연한 순금을 만들어 주었기에
인생이라는 여정에 오늘 스쳐서 지나가는
여러 나라의 공기가
내가 진정으로 살아 있음과
서서히 죽어감의 그 경계에서
들숨과 날숨의 호흡

감사와 기쁨을 알아가도록
가장 좋은 길을 향해
묻고 또 묻는 과정의 하루

오늘은 아마도 나에게
욕망의 장애를 지나

집으로 돌아가는 기회를 만나는
기적의 눈망울

믿음이라는 이름으로
한 걸음을 걷는 기적

사랑이라는 이름으로
한 걸음을 걷는 기적

너는 이미 누군가의 기적이다
너는 이미 누군가의 선물이다.

진액이 넘치는 삶

지난날의 어둠에
불을 밝히는 나의 마음은
누군가의 등불이 되어
더 밝게 비춰 줄 수 있다.

시심(詩心)의 시절

해가 뜨고
달이 가고
아침이 오고

반복되는 과거와
미래를 탐미(審美)함으로 보는 감각으로
나의 때에 맞는 아름다움으로 살아간다면
때로는 꽃처럼 향기롭게 웃고
때로는 새처럼 재잘재잘 노래하고
때로는 광활한 하늘에 떠 있는
뭉게구름처럼 자유롭게
때로는 소리 없이 흐르는
강의 평화를 닮은
삶을 바라보며
시간 여행해요

다시 그때처럼
다시 처음처럼.

살고 싶어서

사랑으로 조율된 너의 삶
모든 것을 이해한다면

믿음으로 조율된 나의 삶
모든 것이 풀어질까요

사랑이 답이라고 하는데
영화에서 보는 듯한
주인공 되어 일순간 변할 수 있을까요

가슴 깊이 사무친 억울함에 숨죽여
서글프게 우는 주인공에게
마법 같은 일이 있을 수 있을까요

수치스러운 분노의 고통은 사라지고
마법 같은 기가 막힌 삶을 만나면
내 마음이 마법같이
일순간 변화될 수 있을까요

마법 같은 내 마음의 주인공 되어
하늘빛에 반사된 달콤해진 사과 열매
단맛, 달콤한 마음의 마법을 만난다면

나의 오늘이
조금은 달아진다면
다시 마법 같은 사랑에 힘입어
나의 모든 것을 사랑하며
기뻐 춤이라도 출 수 있을까요

마법 같은 오늘에
다시 기뻐하고 싶어서
다시 살고 싶어서.

자유로움의 모든 세계

나를 보고
그를 보며

나를 놓아서
그를 믿으니

나는 간다
그와 동행(同行)한다

자유를 누리며
어디든 간다

편안함으로
평온함 속에서

나는 괜찮다
나는 괜찮다.

새벽 5시 반(Miracle morning)

짤각대는 내 생각과
세상의 소리를 줄이고
깊은 울림이 소리를 기다리는 시간
나를 잠시 멈춤 하는 시간
기다림의 메시지 앞에 앉아
침묵의 여행을 떠나 본다

1분
3분
5분

가슴 깊이 울리는 내 마음의 말소리
'아이야, 아이야 괜찮다'

나는 너를 용서한다
나는 너를 사랑한다
내가 많이 사랑한다.

소녀야

아무도 널 해치지 않아
자신의 깊은 내면에 있는 진정한 기쁨
세상의 허기(虛氣)를 찾아
소명의 길을 가누나
걸어가네
걸어가네
달의 시간 속에서
널 해치지 않아
넌 찾을 수 있어
진정한 기쁨 찾아
어디까지 갈 수 있을까
네 능력 확인 하고파
다 잊어, 다 있어

소녀야
아무도 널 해치지 않아
아무도 널 해치지 않아
별을 바라보아 별이 빛나는 밤에

선물 같은 오늘

나를 만나는 오늘과 동행(同行)하는 일

걷고
울고
웃고

꿈꾸는 시간이
순간순간의 감사

기쁨이며 기적이다.

우리는 별을 본다

꼭꼭 숨어 있어
보이지 않는 별 하나
보이지 않는 별 하나가 있다

누구도 볼 수 없고
누구도 알 수 없는 작은 별
그토록 반짝거렸거늘

늙고 늙어 이제는 빛 바란 별
시절의 흐름이 무색하기만 한 한탄의 별

오늘 너의 별을 다시 바라
오늘 나의 별을 다시 알아

우리는 별을 본다

별은 별로써 존재할 테니 깊이 팬 곳
더 깊이 새겨진 작은 별
내 가슴 가운데 내놓는다

반짝반짝 다시 빛나게
반짝반짝 다시 아름답게 빛나게
달의 별과 함께
꿈에서 그리던 우리가 보여
나의 별을 본다

우리는 별을 본다.

안녕

해 질 녘 하루를 보내고 나를 만나는 시간
돌아서서 나를 보니 잘 지나왔구나

괜찮은 나와 만나는 기쁨에
내 마음의 주머니는 사랑으로 가득 차 있네

내 마음 오늘도 안녕이었다고
네 마음 오늘도 안녕이었다고.

별이 빛나는 밤에

짧게 웃고
길게 우는
보석 같은 눈물
하늘 끝에 닿아
내 마음에 별과 함께 빛 되어
보석 보다 빛난다.

날씨는 무척이나 좋았습니다

2021년 12월 23일 초판 1쇄 발행
2021년 12월 23일 초판 1쇄 인쇄

지은이　　　|　　신민건, 주하영, 양은혜, 고요비, 소우주

책임편집　　|　　송세아
편집　　　　|　　안소라, 이향
제작　　　　|　　theambitious factory
인쇄　　　　|　　아레스트

펴낸이　　　|　　이장우
펴낸곳　　　|　　꿈공장 플러스
출판등록　　|　　제 406-2017-000160호
주소　　　　|　　서울시 성북구 보국문로 16가길 43-20 꿈공장1층
전화　　　　|　　010-4894-9079
팩스　　　　|　　031-624-4527
이메일　　　|　　ceo@dreambooks.kr
홈페이지　　|　　www.dreambooks.kr
인스타그램　|　　@dreambooks.ceo

ISBN　|979-11-92134-02-4

정 가　|13,000원